DE QUOI SARKOZY EST-IL LE NOM?

Alain Badiou

DE QUOI SARKOZY EST-IL LE NOM ?

Circonstances, 4

lignes

I

AVANT LES ÉLECTIONS[1]

Nous voici donc en pleine campagne électorale pour la nomination du Président.
Puis-je ne pas en parler? Difficile... Que la
philosophie résiste au contenu des opinions
ne veut pas dire qu'elle puisse ignorer leur
existence, surtout quand elle devient, comme
c'est le cas ces dernières semaines, littéralement frénétique.

Je me suis déjà exprimé sur le vote, dans
Circonstances 1, à propos de l'élection présidentielle de 2002. J'ai souligné le peu de foi qu'il
convient d'accorder à cette procédure irra-
tionnelle, et analysé sur le vif les conséquences
désastreuses du fétichisme parlementaire qui
nous tient lieu de « démocratie ». Le rôle des
affects collectifs ne peut, disais-je, être sous-
estimé dans ce genre de circonstances, d'un

---

1. Cette section déploie quelque peu une séance de mon
séminaire mensuel donné à l'École Normale Supérieure
dans le cadre des activités du Centre International d'Étude
de la Philosophie Française Contemporaine (CIEPFC). Il
s'agit de la séance du 4 avril 2007.

bout à l'autre organisées par l'État, et relayées par l'ensemble de ses appareils, ceux-là mêmes que Louis Althusser nommait avec exactitude les « *appareils idéologiques d'État* » : partis, bien sûr, mais aussi grands corps, syndicats, médias de toutes sortes. Ces derniers, évidemment la télévision, mais plus sournoisement la presse écrite, sont des puissances de déraison et d'ignorance tout à fait spectaculaires. Leur fonction est justement de propager les affects dominants. Ils n'ont pas été pour rien en 2002 dans la « psychose Le Pen » qui, après que le vieux pétainiste, quoique cheval fourbu tiré d'écuries en ruine, a passé le premier tour, jeta des masses de jeunes lycéens épouvantés et de raisonnables intellectuels dans les bras d'un Chirac qui, n'étant pas lui-même, en ce qui concerne la vigueur politique, de toute première fraîcheur, n'en demandait pas tant. Avec la cavalcade en tête de Sarkozy et le choix par le parti socialiste, comme candidate, d'une nuageuse bourgeoise dont la pensée, si elle existe, est quelque peu secrète, nous avons, cinq ans plus tard, le fatal bilan de cette folie.

Cette fois-ci l'affect collectif qui projette en avant une sorte de comptable bourré de tics, maire de la ville où se concentre toute la richesse héréditaire, en outre visiblement inculte, pourrait être appelé, comme sous la Révolution française, « la grande peur ».

Les élections auxquelles l'État nous convoque sont en effet dominées par l'enchevêtrement contradictoire de deux types de peur.

Il y a d'abord la peur que je dirais essentielle, celle qui caractérise la situation subjective de gens qui, dominateurs et privilégiés, sentent que ces privilèges sont relatifs et menacés, et que leur domination n'est peut-être que provisoire, déjà branlante. En France, puissance moyenne dont on ne voit pas que l'avenir puisse être glorieux – sauf si elle invente la politique qui soustraira le pays à son insignifiance et en fera une référence émancipatrice planétaire –, l'affect négatif est particulièrement violent et misérable. Il se traduit par la peur des étrangers, des ouvriers, du peuple, des jeunes des banlieues, des musulmans, des noirs venus d'Afrique… Cette peur, conservatrice et crépusculaire, crée le désir d'avoir un maître qui vous protège, fût-ce en vous opprimant et paupérisant plus encore. Nous connaissons les traits de ce maître aujourd'hui : Sarko, un flic agité qui fait feu de tout bois, et pour qui coups médiatiques, financiers amicaux et magouilles de coulisse sont tout le secret de la politique. Avec ce Napoléon-le-très-petit, face aux périls internes dont la peur fait tout le réel, l'État finit par prendre la forme unilatérale que déjà Genet lui donnait dans sa pièce *Le Balcon*, celle du préfet de police, dont le costume rêvé est un gigantesque chibre en caoutchouc. Il n'y a dès lors nul paradoxe à ce que Sarkozy, personnage minuscule en communication directe avec les sondages les plus bas, se soit haussé jusqu'à la profonde pensée selon laquelle la pédophilie est une tare génétique, et lui un hétérosexuel de naissance. Quel meilleur symbole des peurs inconscientes, dont le remugle est charrié par la politique spectaculaire, que cette pédophilie, dont on a vu depuis des années, culminant au procès d'Outreau, qu'elle symbolisait, dans notre société proprement pornographique, les désirs ensevelis dont il ne saurait être question ? Et quel maître plus digne d'en finir avec cette pédophilie aussi maudite qu'abstraite, et du même coup avec toutes les étrangetés et tous les étrangers, qu'un hétérosexuel en béton armé ? La politique pipole n'est pas ma tasse de thé, mais je mettrais ici quelque espoir dans l'étrange épouse du candidat, cette Cécilia dont il se pourrait qu'elle apporte des lumières inattendues en ce qui concerne les prétentions génétiques de son époux.

Ce qui fait face électoralement à la peur primitive n'est pas, comme il le faudrait, une affirmation claire, hétérogène par principe aux variations sur un thème policier. C'est au contraire une autre peur : la peur que la première peur provoque, pour autant qu'elle convoque un type de maître, le flic agité, que le petit-bourgeois socialiste ne connaît pas et n'apprécie pas. C'est une peur seconde, une peur dérivée, dont, à vrai dire, au-delà de l'affect, le contenu est indiscernable. Massivement, ni les uns ni les autres, ni les UMP de base, ni les militants socialistes, n'ont la moindre vision positive au regard de l'effet massif du capitalisme déchaîné. Aucun n'affirme qu'il y a un seul monde, contre la division, externe et interne, que ce capitalisme mondialisé propage. En particulier, aucune alliance avec les persécutés, avec les habitants de « l'autre » monde, n'est proposée par le parti socialiste. Il envisage seulement d'engranger les douteux bénéfices de la peur de la peur.

Pour les deux camps électoraux, en vérité, le monde n'existe pas. Sur des questions comme la Palestine, l'Iran, l'Afghanistan (où des troupes françaises sont engagées), le Liban (où il en va de même), l'Afrique, où nos gesticulations militaires fourmillent, il y a consensus total, et du reste, nul n'envisage d'ouvrir sur ces questions de guerre ou de paix la moindre discussion publique. Pas non plus la moindre mise en cause sérieuse des lois scélérates votées, jour après jour, contre les ouvriers sans papiers, les jeunes des quartiers pauvres et les malades insolvables. Puisqu'on est peur contre peur, nous devons comprendre que les seules interrogations émouvantes sont du type : doit-on avoir plus peur du balayeur tamoul que du flic qui le pourchasse ? Ou : le réchauffement de la planète est-il ou non plus périlleux que l'arrivée de cuisiniers maliens ? Ainsi va le cirque électoral.

L'indice subjectif de cette négativité affective omniprésente est le clivage du sujet électoral. Tout en effet laisse prévoir un vote massif, au point que leurs amis mêmes cherchent à intimider ceux qui, comme moi, ont la ferme volonté de ne pas se rendre à cette convocation truquée de l'État. Le vote fonctionne ainsi comme une forme légèrement surmoïque. Cependant, les sondages attestent une indécision massive jusqu'à la dernière minute. C'est dire que ce vote probablement massif, et vécu comme obligatoire, ne charrie, hors ses affects, aucune conviction. On conçoit en effet que se décider entre la peur et la peur de la peur soit une entreprise délicate.

Supposons que la politique soit ce que je pense qu'elle est, et que récapitule la définition que voici : « l'action collective organisée, conforme à quelques principes, et visant à développer dans le réel les conséquences d'une nouvelle possibilité refoulée par l'état dominant des choses ». Alors il faut conclure que le vote auquel on nous convie est une pratique essentiellement apolitique. Il est en effet soumis au sans-principe de l'affect. De là le clivage entre un impératif formel et le flottement indécidable de toutes les convictions affirmatives possibles. Il est bon de voter, pour donner forme à mes peurs, mais que *ce pour quoi* je vote puisse être bon, il est difficile de le croire. Ce qui vient à défaillir dans le vote n'est autre que le réel.

S'agissant du réel, on dira que la peur seconde, qu'on peut nommer d'opposition, en est encore plus éloignée que la peur primitive, qu'on peut dire de réaction. Car on réagit, y compris de façon terrorisée, délatrice, voire criminelle, à quelque situation effective. Tandis que l'opposition ne redoute que l'amplitude de la réaction, distante ainsi d'un cran de plus de tout ce qui existe effectivement.

Ces élections sont la cristallisation confuse de ce que la négativité de gauche, ou d'opposition, a cette faiblesse insigne d'être dans un partage confus du réel avec ce à quoi elle s'oppose. Car le réel dont elle se soutient, cette gauche, à une grande distance, n'est que celui qui crée la peur primitive, cette peur dont les effets redoutés sont tout le contenu de l'opposition.

Trop déchargée de réel, ou en partage avec celui de son supposé adversaire, la peur seconde, la peur socialiste, ne peut se fixer que sur le vague, sur l'incertain, sur l'ondoiement

des proses sans arrimage dans le monde. C'est
ça, Ségolène Royal. Elle est la disposition
fantasmatique où s'articule le manque de tout
réel, elle est la peur seconde comme exaltation
vide. Elle est le néant comme pôle subjectif
des peurs qu'organise le rite électoral.

Proposons un théorème : toute chaîne de
peurs conduit au néant, dont le vote est l'opération. Si cette opération n'est pas politique,
comme je le soutiens, quelle est sa nature ? Eh
bien, le vote est une opération de l'État. Et ce
n'est qu'à supposer que la politique et l'État
sont identiques, qu'on imagine le vote comme
une procédure politique [2].

Je parlais à l'instant du clivage électoral : le
vote est massif et vécu comme un impératif,
alors que la conviction politique ou idéologique est flottante, voire inexistante. Ce clivage
est intéressant et positif dans la mesure où,
inconsciemment, il signifie la distance entre
politique et État. Dans le cas qui nous occupe,
au défaut de toute politique véritable, il y a

---

2. Depuis trois décennies, Sylvain Lazarus tire les
conséquences de son axiome le plus puissant : qu'on ne peut
penser la politique d'émancipation (qu'il nomme, pour des
raisons techniques, « politique en intériorité ») qu'à partir
d'une séparation clarifiée entre la politique et l'État. Ce qui,
dans le processus politique lui-même, revient à s'organiser,
penser et agir, à distance de l'État. Il faut évidemment lire,
sur ces questions, son livre majeur, *Anthropologie du nom* (Le
Seuil, 1996).

incorporation à l'État de la peur comme subs-
trat de sa propre indépendance. La peur va
valider l'État. L'opération électorale incorpore
la peur et la peur de la peur à l'État, en sorte
qu'un élément subjectif de masse vient valider
l'État. Disons que, après cette élection, l'élu,
Sarkozy très probablement, sera légitime au
sommet de l'État d'avoir fait son beurre de la
peur. Il aura alors les mains libres, parce que,
dès que l'État a été investi par la peur, il peut
librement faire peur.

La dialectique ultime est celle de la peur et
de la terreur. Virtuellement, un État légitimé
par la peur est habilité à devenir terroriste.

Y a-t-il un terrorisme contemporain, une
terreur démocratique ? Pour l'instant c'est
rampant. Il s'agit de trouver les formes démocratiques d'une terreur d'État à hauteur de
la technique : radars, photos, contrôle de
l'Internet, écoutes systématiques de tous les
téléphones, cartographie des déplacements…
Nous sommes dans un horizon étatique de
terreur virtuelle, dont le mécanisme capital est
la surveillance, et de plus en plus la délation.

Faut-il parler, comme nos amis deleu-
ziens, de « *société de contrôle* », essentiellement
différente de la « *société de souveraineté* » ? Je
ne le crois pas. Le contrôle se changera en
terrorisme d'État pur et simple au premier
tournant un peu sérieux des circonstances.

Déjà, on envoie les suspects se faire torturer chez des « amis » moins regardants. On finira par le faire chez soi. La peur n'a jamais d'autre avenir que la terreur, en son sens le plus ordinairement établi.

Allons-y d'une parenthèse. Le philosophe le sait mieux que les autres, quand il fait réellement son travail : le monde des hommes, individus et sociétés, est toujours moins nouveau que les habitants de ce monde ne l'imaginent. Et la technique, dont on veut faire le sens ultime et la nouveauté, resplendissante ou catastrophique, de notre devenir, reste presque toujours au service des plus antiques procédures. De ce point de vue, le « moderne » convaincu, qui voit du progrès partout où le capitalisme dispose ses machines, et l'écologiste à demi religieux qui se cramponne, contre l'artifice productif, au phantasme de la bonne nature, partagent une identique niaiserie.

Revenons à nos peurs. Pourquoi cette tension peureuse qui nous promet une série accablante de tours de vis de l'État ? C'est que la vérité de la situation, c'est la guerre. Bush, dont il vaudrait mieux prendre au pied de la lettre ce qu'il dit que se gausser de sa bêtise, l'a annoncé : une « *très longue guerre* » contre le terrorisme, tel est notre horizon. Et de fait, les Occidentaux sont de plus en plus engagés sur divers fronts. La simple maintenance de l'ordre existant est guerrière, car cet ordre est pathologique. Les gigantesques disparités, la dualité des mondes, le riche et le pauvre, sont maintenues par la force. La guerre est l'horizon mondial de la démocratie. On cherche à faire croire aux gens que la guerre est ailleurs et que ce faisant, on les en protège. Mais la guerre n'a pas de localisation fixe, elle ne se laisse pas aisément contenir dans l'espace. L'Occident veut interdire l'apparition, où que ce soit, de ce qui lui fait réellement peur : un pôle de puissance hétérogène à sa domination, un « *État voyou* », comme dit Bush, qui aurait les moyens de se mesurer aux actuelles « démocraties » triomphantes, sans aucunement partager leur vision du monde, et ne serait pas prêt à s'attabler avec elles pour partager les délices du marché mondial et du nombre électoral. L'Occident ne vaincra pas, il ne pourra que retarder cet avènement par des guerres externes et des terrorismes internes de plus en plus sauvages. Car à l'intérieur aussi, hélas, il y a des voyous ! Ceux qu'un ministre socialiste appelait des « *sauvageons* », et que Sarkozy traitait de « *racaille* ». L'alliance à venir des États voyous de l'extérieur et des voyous de l'intérieur, voilà de quoi faire peur ! Voilà le profil politique possible de la création d'une Grande Peur.

Le point clef est qu'il y a une dialectique de la peur et de la guerre. On fait la guerre, à l'extérieur, disent nos gouvernants, pour se protéger de la guerre chez soi. On va aller chercher en Afghanistan ou en Tchétchénie les terroristes qui, sinon, vont arriver en masse chez nous et y organiser la « racaille » et les « sauvageons ». Ce faisant on crée de toutes pièces, chez les gens des pays privilégiés, la peur, interne et externe, de la guerre, parce que la guerre à la fois est là (au loin) et pas là (chez nous), dans une liaison problématique du local et du mondial.

Ce qu'il faut bien voir est que cette question a en France une histoire particulière. Le nom typique de cette alliance de la guerre et de la peur est chez nous : « pétainisme ». L'idée de masse du pétainisme, ce qui a fait son succès momentané, mais très étendu, entre 1940 et 1944, était qu'après les déboires de la « drôle de guerre », en 1939, Pétain allait protéger les Français des effets les plus désastreux de la guerre mondiale. Leur permettre de rester à l'écart. La peur générée par 14-18 a créé, en 1940, la peur nécessaire au pétainisme. Pétain est celui qui a dit : il faut avoir plus peur de la guerre que de la défaite. Il faut vivre, ou survivre, plutôt que de faire le fanfaron. Les Français ont massivement accepté la relative tranquillité que donnait une défaite consentie.

Et il ne faut pas se cacher que le pétainisme a en partie réussi : les Français ont traversé la guerre, en effet, assez tranquillement si on les compare aux Russes, ou même aux Anglais. Je reviendrai sur ce point. Disons seulement que le « pétainisme » analogique d'aujourd'hui consiste à soutenir que les Français n'ont qu'à accepter les lois du monde, le modèle yankee, la servilité envers les puissants, la domination des riches, le dur travail des pauvres, la surveillance de tous, la suspicion systématique envers les étrangers qui vivent ici, le mépris des peuples qui ne vivent pas comme nous, et qu'alors tout ira bien. Le programme de Sarkozy, c'est travail, famille, patrie. Travail : si vous voulez gagner quelques sous, faites jusqu'à plus soif des heures supplémentaires. Famille : abolition des droits de succession, perpétuation des fortunes héréditaires. Patrie : bien que rien ne la signale aujourd'hui à l'admiration des foules que de piètres peurs, la France est formidable, il faut être fier d'être français. En tout cas, « l'homme français » (Sarkozy ?) est bien supérieur à « l'homme africain » (qui est-ce ?).

Le malheur est que ces maximes ne sont guère éloignées des prêches sentimentaux de Ségolène Royal.

Au-delà des péripéties électorales, l'impératif est de tout faire pour que le pétainisme

analogique ne devienne pas la logique générale de la situation. Avec Sarkozy, mais aussi
avec sa rivale, il y a la possibilité d'un néopé-
tainisme de masse. D'un pétainisme, pas d'un
fascisme, qui est une force affirmative. Le
pétainisme présente les abominations subjectives du fascisme (peur, délation, mépris des
autres) sans son élan vital. Pour éliminer ce
péril, nous devons développer autant que faire
se peut *l'alliance des sans peur*.

À propos de la guerre Mao disait : « *Nous
n'aimons pas la guerre. Mais nous n'en avons pas
peur.* » Le courage est sans doute la principale
vertu aujourd'hui. Le courage de se soustraire
tant à la peur primitive qu'à la peur de la
peur. Mao disait aussi : « *Rejetez vos illusions et
préparez-vous à la lutte.* » Quelle est aujourd'hui
l'illusion principale ? C'est celle qu'entretient
la gauche en général, Ségolène Royal en particulier, à savoir qu'on peut faire confiance à la
peur (de la peur) pour éviter les effets réactifs
de la peur, le flic agité comme maître du jeu.
Mais non ! Vous aurez *et* la peur *et* le flic !

Rejeter ses illusions, c'est toujours se
réorienter. C'est affirmer qu'une orientation
de la pensée et de l'existence peut s'affirmer
au-delà des affects. Le vote en général, et
singulièrement celui qu'on nous propose
aujourd'hui, est une machine d'État *qui présente
la désorientation elle-même comme un choix*. C'est

une autre interprétation du clivage dont je parlais plus haut : l'esprit désorienté, qui ne sait à quel saint ou à quel Pétain se vouer, n'en est pas moins convaincu de la haute importance du vote. Il va donc voter au petit bonheur pour l'un ou l'autre des indiscernables candidats. Il est en fait complètement désorienté, comme le montre que, au vote suivant, il changera d'avis, comme ça, pour voir. Cependant, l'État et toute la presse unanime, dans le commentaire du vote, présentent cette évidente désorientation comme un choix, comme la solennelle fixation d'une orientation, de façon à avoir les mains libres. Le gouvernement, dont il ne serait pas très différent qu'il soit tiré au sort, déclare que, mandaté par un choix citoyen, il peut agir au nom de ce choix. Le vote est ainsi producteur d'une illusion singulière, qui fait passer la désorientation par le filtre fallacieux d'un choix. « Les Français ont décidé que… », dit la bonne presse. Ils n'ont rien décidé du tout, et du reste, ce collectif, « les Français », n'a aucune existence. Pourquoi diable 51 % des Français seraient-ils « les » Français ? N'est-il pas constant dans l'Histoire, comme par exemple au moment crucial de l'occupation allemande, que « les Français », c'est bien plutôt la toute petite minorité des Résistants, en fait, pendant au moins deux ans, trois pelés et un tondu ? Les autres sont largement pétainistes, ce qui veut dire, dans les conditions de l'époque, non pas du tout « Français », mais serviteurs peureux de l'Allemagne nazie. C'est un trait caractéristique de la France justement : quand la question de son existence est réellement en jeu, ce qui la constitue, sur un fond réactionnaire et peureux fort épais, est une minorité aussi active et admirable que numériquement très faible. Notre pays n'a existé et n'existera, quelle qu'en soit la forme à venir, que par ceux qui n'ont pas consenti aux abaissements qu'exige universellement la logique de la survie des privilèges, ou même la simple conformité « réaliste » aux lois du monde. Ce sont ceux-là qui ont choisi, et ce n'est certes pas en votant.

« Rejeter nos illusions », c'est nier catégoriquement que le vote soit l'opération d'un choix véritable. C'est l'identifier comme une désorientation organisée, qui donne les mains libres au personnel de l'État. Tout le problème est alors de rejeter affirmativement cette illusion, ce qui veut dire : trouver ailleurs le principe d'une orientation de la pensée et de l'existence. Pour y parvenir, pour identifier l'illusion comme illusion et la rejeter – ce qui, entre autres choses, veut dire : ne rien attendre du vote –, nous devons en somme, si nous récapitulons l'analyse, construire le nouage de cinq termes :

1. Le réel d'un monde : la situation, et comment on la nomme. Aujourd'hui je dirais que c'est la guerre, externe (interventions militaires) et interne (guerre au peuple, pauvre et/ou de provenance étrangère, sous couvert de « lutte antiterroriste ») qui est le réel du monde contemporain.

2. La maxime qui vaut orientation générale dans la situation. Le principe qui, portant sur une existence comme tout vrai principe, sépare de la domination et ouvre le champ des possibles se dit simplement : il y a un seul monde. Nous le prouverons plus loin.

3. La structure de l'illusion et son avenir. L'illusion c'est ne pas voir que c'est l'État qui construit l'apparence fallacieuse d'un choix politique à partir du matériau ductile que constitue la désorientation publique. Le vote n'est que l'opération de cette apparence, laquelle, aujourd'hui, ne configure que des affects de peur. En somme, le vote est la figure fictive d'un choix, prélevée sur une désorientation essentielle.

4. L'orientation. Elle trouve son lieu à distance de l'État, donc en particulier en dehors du vote. Il lui revient de construire de l'inédit dans le réel. Elle consiste en l'incorporation à quelque processus de vérité, singulièrement du côté de l'organisation politique directe de ceux qui, ici même, sont

tenus en dehors du (faux) monde unique, relégués dans « l'autre » monde. Au cœur de ce prolétariat exilé du monde : les ouvriers de provenance étrangère. Et au cœur de ce cœur : les ouvriers sans papiers.

5. Le devenir-sujet est le résultat de l'incorporation, pensée comme orientation. L'individu humain, l'animal qu'on dresse à ne connaître, face à la marchandise, que ses intérêts immédiats, se fait être une composante parmi d'autres du corps de vérité, et ce faisant s'outrepasse en tant que sujet. Puisque nous sommes dans un horizon de guerre, que notre illusion locale spécifique est le pétainisme (rester à l'abri des séismes mondiaux, quel que soit le prix à payer : Juifs livrés au massacre, Africains livrés à la police, enfants chassés des écoles…), alors, dire « il y a un seul monde » consiste à se désabriter pour rendre effective la maxime.

Comment reconnaître celui qui surmonte sa prétendue « libre individualité », c'est-à-dire le stéréotype où il est dissous (car quoi de plus monotone, de plus uniforme, que les « libres » individus de la société marchande, les petits bourgeois civilisés répétant comme des perroquets bien nourris leurs risibles hantises ?), dans la fermeté locale d'une vérité transindividuelle ? Son devenir-sujet s'atteste, par exemple, dans la conviction que construire une réunion, capable de conclure sur un point et d'établir une durée à l'abri des échéances de l'État, avec quatre ouvriers africains d'un foyer, un étudiant, un manœuvre chinois du textile, un postier, deux mères de famille d'une cité et quelques traînards d'une cité, est infiniment plus important, d'un infini lui-même incommensurable, que de jeter le nom d'un politicien indiscernable dans la boîte-à-compter de l'État.

II

Après les élections [3]

Ne sommes-nous pas réunis ce soir, comme tout le monde, pour discuter du sacre de notre nouveau président ? Si alors je considère ceux qu'animent un minimum de vraie pensée, une conviction, quelques fragments de savoir historique, il me semble leur découvrir, depuis la victoire sans bavures de Sarkozy, une subjectivité légèrement dépressive. Je vous fais le crédit, justifié par votre simple présence ici, d'appartenir à la catégorie dont je parle, celle des gens que la désorientation organisée par le capital et ses servants ne comble pas, mais désole. Et je sens que vous êtes, si pressante qu'ait pu être ma propagande pour tenir sous la grêlée du vote une stoïque indifférence, comme si vous aviez reçu un coup. Un coup attendu, certes, mais néanmoins assez violent.

Je voudrais commencer par une analyse du sentiment qui vous accable, et qui est que,

---

3. Cette section reprend un matériau de mon séminaire (*cf.* note 1), séance du 16 mai 2007.

malheureusement, il s'est passé quelque chose, et que ce quelque chose ne vous convient nullement.

Entre nous, ce n'est pas parce qu'un président est élu que, pour des gens d'expérience comme nous, il se passe quelque chose. J'en ai assez dit sur le vote pour que vous sachiez que s'il s'est en effet passé quelque chose, on ne trouvera pas ce dont il s'agit dans le registre de la pure succession électorale. Ce qui m'amène à une première méditation sur la notion de ce que c'est que se sentir frappé par un coup, en sorte qu'on s'expérimente un peu aveugle, légèrement incertain, et finalement quelque peu dépressif. Oui, chers amis, je flaire dans cette salle une odeur de dépression. Je pose alors que Sarkozy à lui seul ne saurait vous déprimer, quand même ! Donc, ce qui vous déprime, c'est ce dont Sarkozy est le nom. Voilà de quoi nous retenir : la venue de ce dont Sarkozy est le nom, vous la ressentez comme un coup que cette chose vous porte, la chose probablement immonde dont le petit Sarkozy est le serviteur.

On dit souvent que les coups les plus terribles sont les coups inattendus, les accidents, les suicides mystérieux… Il y a cependant aussi quelque chose de particulièrement pénible dans les coups attendus. Vous savez, quand on se dit, voilà, si je fais ça, cet autre, là, tel que je le connais, il va faire ça. C'est souvent très déplaisant de voir qu'il le fait, effectivement. On préférerait qu'il déçoive notre prévision, qu'il soit inattendu, pour une fois. Mais non. Ce vote, qui ne fait que nommer la venue de la chose immonde à l'ordre du jour, a toute la structure d'un coup attendu. Contrairement à ce qui s'est passé souvent, celui qui était en tête dans les sondages, depuis le début de la course officielle, a gagné. C'est comme une course de chevaux où le cheval favori des parieurs part en tête, fait toute la course en tête, et gagne. Ce n'est pas drôle, c'est même déprimant. Celui qui a le sens du pari, de la rupture, du risque, de l'exception, préférerait que le tocard du coin l'emporte. Mais cette fois, le tocard, ou plutôt la tocarde, a perdu, comme elle le méritait. Et nous en sommes tous, nous qui savions quelle tocarde elle était, et que ses convictions étaient aussi suspectes que vagues, néanmoins un peu déprimés. Demandez-vous donc quelle est la nature exacte du coup, tout à fait prévisible, qui vous frappe.

J'avais proposé la dernière fois une analyse du contexte électoral, avant la décision numérique, en disant que la situation était celle d'un conflit entre deux peurs, une peur primitive et une peur dérivée. La peur primitive était celle de cette partie de la population qui redoute que quelque chose arrive qui la précipiterait dans le déclin. Cette peur primitive est centrée sur les boucs émissaires traditionnels, les étrangers, les pauvres, les pays lointains auxquels on ne veut pas ressembler. Elle a longtemps été rassemblée et emblématisée dans le vieux discours de Le Pen et du Front national, dans un style pauvre, celui des revanchards du pétainisme. Puis il y a une peur seconde, la peur de l'autre peur, la peur de ce que cette peur primitive va donner comme résultat. Le conflit entre les deux s'est soldé par la victoire de la peur primitive, ce qui, somme toute, ne manque pas de logique. Quitte à avoir peur, autant avoir peur d'autre chose que de la peur. La peur première l'a emporté, telle est la première composante du coup. C'est dans une logique de pulsion, pour employer une métaphore. Il y a dans le succès du vote pour Sarkozy un élément numérique pulsionnel. Cela se voyait très bien, dans les visages de ceux qui se réjouissaient en masse de ce succès : ils pensaient que le petit agité de Neuilly allait construire des murailles de Chine contre tous les fauteurs de trouble, et qu'on pourrait enfin, sinon n'avoir plus peur, ce qui est impossible pour tout réactionnaire, du moins avoir confiance que, de nos peurs, l'État allait s'occuper avec une vigilance réjouissante. Vous lisiez sur la gueule de ces sarkozystes en goguette comme un excès pulsionnel relatif à cette peur primitive dont on estime que le nouveau petit président à la fois la partage, ce qui le rend proche de nous, et connaît les moyens d'en limiter les innombrables et perverses causes.

Moi, si j'avais peur, je ne penserais pas du tout à ce type de personnage pour la conjurer, et cela pour une bonne raison : je suis convaincu que Sarkozy, qui ne peut aller nulle part sans une garde rapprochée épaisse comme un mur, n'est pas très courageux. Comme tous ceux qui croient se tirer d'affaire en toutes circonstances par la corruption des adversaires et le tapage des effets d'annonce, Sarkozy redoute infiniment toute épreuve réelle. Si j'ai raison, ce dont Sarkozy a le plus peur, c'est que devienne visible sa propre peur. Ce qui, soit dit en passant, le rapproche des socialistes, s'il est vrai que la passion de la clientèle socialiste est la peur de la peur. Ils sont faits pour s'entendre. C'est une hypothèse, naturellement, mais je parie que nous ne tarderons pas à voir les effets délétères de la peur sarkozyenne. Ce qui est un premier élément de rupture avec le gaullisme, même sous la forme délabrée, moribonde, qu'il avait prise sous Chirac. Car la vertu politique principale, voire unique, de De Gaulle était de ne jamais avoir peur.

Reste que l'élément pulsionnel est bien là, chez tous ceux qui s'imaginent qu'avec

Sarkozy, on a un frère-en-peur qui est aussi un malin de la contre-peur. Quant à ceux qui étaient dans la peur de la peur, les voici dans le dépressif de cette pulsion générale négative, qui a constitué l'horizon des choses et à laquelle ils sont, eux, purement et simplement, renvoyés.

Le deuxième élément, c'est l'élément nostalgique. Un vieux monde s'écroule. Ce vieux monde, c'est tout simplement celui qui vient de la dernière guerre mondiale, de la façon dont gaullistes et communistes, en France, ont partagé le même bilan de cette guerre, du pétainisme, de la Résistance et de la Libération. Plus généralement, c'est toute une orientation de la vie parlementaire qui est mise à mal, celle qui se réfère sans ambiguïté à la gauche et à la droite, orientation que le motif de l'union de la gauche, ou de la « gauche plurielle », intégrant les communistes, semblait avoir portée, sous Mitterrand, à sa perfection. Aujourd'hui, Sarkozy met à mort cette forme cadavéreuse du gaullisme que représentait Chirac. Et, du côté de la gauche, nous avons un effondrement largement anticipé par la déroute de Jospin en 2002, et plus encore par la décision aberrante de faire voter Chirac au second tour.

Ce qui nous intéresse particulièrement est la désorientation qu'entraîne, au regard du système droite/gauche issu des années quarante, la décomposition subjective et morale du parti socialiste, et avec lui de la notion même de « gauche », laquelle n'est pas pour rien supportée par un mot qui oriente, un mot de la topologie. Il est certain que cette notion était déjà très malade, mais là, avec cette élection, c'est comme si on l'avait achevée. Déjà dans les années soixante, Sartre disait : « La gauche est un cadavre tombé à la renverse et qui pue. ». C'était agressif, mais c'était il y a quarante ans. Disons que les choses ne se sont pas arrangées. Car cette décomposition n'est pas seulement de l'ordre de la faiblesse insigne dans l'affrontement, de la misère politique, évidente depuis longtemps. Quelque chose d'essentiel, constitutif de la symbolique du parlementarisme français, est touché à mort.

Bien sûr, comme toujours, c'est une longue histoire. Tout a commencé en vérité avec le délitement inexorable des vertus ouvrières et quelque peu extérieures au système du Parti Communiste Français, donc dès les années soixante du précédent siècle, singulièrement en 1968, et peut-être même encore avant. Car c'est de longue date que le parti communiste français a donné des signes inquiétants de chauvinisme, de peur de tout mouvement qu'il ne contrôle pas de A jusqu'à Z, et de « *crétinisme parlementaire* » – comme on disait au XIXe siècle, quand la santé révolutionnaire était meilleure. Mais enfin, il conservait dans son lexique la dictature du prolétariat, ce qui, verbalement, le mettait à l'écart du consensus « démocratique ». À partir de Mai 68, outre qu'il est devenu pendant un temps l'ennemi organisé de toute la jeunesse révolutionnaire, étudiante ou ouvrière et le rempart de l'ordre électoral et syndical, le PCF a même sacrifié ses fétiches verbaux. Il est apparu comme une forme acariâtre et égocentrique de la démocratie ambiante. Après quoi il s'est allié à Mitterrand et a commencé à disparaître.

Bien entendu, à échelle du monde, il y a eu l'effondrement de l'URSS, accompagnant la dissolution de tous les repères idéologiques « marxistes » dont cet État vermoulu était l'apparent gardien. De ce point de vue, du reste, on notera que ce qui a créé la crise la plus grave de la gauche, face à la prétention victorieuse du capitalisme déchaîné, ce n'est aucunement Staline. Du temps de Staline, il faut bien dire que les organisations politiques ouvrières et populaires se portaient infiniment mieux, et que le capitalisme était moins arrogant. Il n'y a même pas de comparaison. Ce sont les liquidateurs, Brejnev, l'homme de la stagnation, et surtout Gorbatchev, l'homme de la réforme à tous crins, qui ont plongé le monde de la « gauche » dans une misère dont nul ne sait quand il se relèvera. Peut-être, du reste, que ce qu'il faut souhaiter est la mort sans phrase de ce référent. Passons.

En dépit de cette longue archéologie du désastre de la gauche, l'élection de Sarkozy reste quand même la marque d'un temps nouveau, une survenue immonde, un coup frappé sur la structuration symbolique de la vie politique française, dans laquelle la thématique de la gauche, de ses constantes recompositions, de la possibilité de sa victoire, constituaient en fait la familiarité électorale. C'est cette familiarité qui est atteinte, qui est défaite. Que ce soit l'aboutissement d'un long processus ne vous console pas, hein, gens de gauche! À partir du moment où un vieux monde symbolique est ainsi frappé, vous voici en pleine désorientation. Car, cette fois, le coup n'est pas seulement dans le compte électoral, pas plus mauvais après tout que de coutume (47 %, c'est l'étiage normal de la gauche depuis des lustres), le coup frappe les paramètres du repérage eux-mêmes, la loi subjective du compte.

Ce qui caractérise cette élection, c'est qu'elle aggrave la désorientation, en tant qu'elle révèle le caractère intrinsèquement obsolète de tout le repérage issu de la dernière guerre mondiale, le repérage droite/gauche. Ce que l'élection met en scène, c'est que la désorientation va jusqu'au point où le système même de l'orientation est symboliquement défait. C'est pourquoi Sarkozy, dès son élection, peut aller trinquer au Fouquet's et partir dans un yacht de milliardaire à Malte. Façon de dire : « *La gauche ne fait plus peur à personne, vivent les riches, à bas les pauvres !* »

De là que ce qui subsiste de sincères gens de gauche est saisi d'une incoercible nostalgie pour les temps du repérage clair. Ah! Comme ils vont regretter tout le monde! Mitterrand! Et De Gaulle! Et même Georges Marchais! Et même Chirac, le Brejnev du gaullisme, celui qui savait que ne rien faire est ce qui permet de mourir lentement. Du reste, Chirac, ils avaient voté pour lui, contre Le Pen. Le Pen? Un du monde d'avant, lui aussi. Avec Sarkozy et sa bande, on finira par le regretter, le vieux borgne, vous verrez. Quand il criait « hou! », Le Pen, on avait peur une minute, on manifestait dans la joie, et le tour était joué. Nostalgie! Le Sarko, lui, il est Président, il verrouille.

Un symptôme très important du verrouillage et de la désorientation, ce sont les transfuges venus de la gauche qui galopent vers le sarkozysme. À peine a-t-il été élu, l'agité de Neuilly, que nous voyons des rats « de gauche », ou présumés tels, qui courent partout. Les navires du vieux monde sont abandonnés de tous côtés, des consultations très étranges se déroulent dans la coulisse. Nombre de caciques de l'opinion de gauche trouvent désormais de grandes vertus à Sarko. Voilà de quoi nous désorienter plus encore. Mais ce n'est que le signe avant-coureur de mouvements plus profonds. Les rats signalent les prémisses d'un tremblement de terre.

La logique sous-jacente serait après tout la logique du parti unique. C'est d'ailleurs ça que notre président a en tête : rassembler tout le monde sous sa houlette. Et c'est bien naturel ! Dès lors que tout le monde accepte l'ordre capitaliste, l'économie de marché et la démocratie représentative comme des données aussi objectives et indubitables que la gravitation universelle, et même plus encore, pourquoi monter la fiction de partis opposés ? Mon ami le philosophe slovène Slavoj Zizek a dit quelque part que ce qu'on n'avait pas compris, lorsqu'on a mis en scène l'opposition du stalinisme et de la démocratie parlementaire, c'est que le stalinisme était l'avenir de la démocratie parlementaire. Nous y venons, lentement, tortueusement. Il y aura, il y a déjà, des accélérations. Après tout, les moyens techniques du contrôle des populations sont aujourd'hui tels que Staline, avec ses fichiers manuscrits interminables, ses fusillades de masse, ses espions à chapeau, ses gigantesques camps pouilleux et ses tortures bestiales, apparaît comme un amateur d'un autre âge. C'est aussi pourquoi il est difficile de se représenter notre président dans le rôle du Géorgien : guide, ou petit père des peuples. Avec un look de cadre moyen d'une banque de seconde zone, comment faire ? Et pourtant, dans son genre sautillant, bavard, improvisé, on pourra dire un jour que Sarkozy a tenté d'être le grand bâtisseur de notre parti unique, l'UUP, l'Union pour l'Unanimité Présidentielle. Pour qu'il réussisse, il suffirait que les ralliés, les transfuges, les rats qui quittent le navire de la gauche en perdition, constituent petit à petit un flot, une marée, un tsunami de rats. En vérité, empiriquement, cela ne se produira sans doute pas à cette échelle dans les mois qui viennent. Mais c'est déjà là symboliquement. Un certain nombre de personnalités représentent cette posture, cette possibilité. Nous avons les rats d'avant-garde pour la construction de l'UUP. Ils ne font du reste que prolonger, achever, donner sa forme définitive, au vaste mouvement de renégation contre-révolutionnaire initié, dès 1976, par la clique des « nouveaux philosophes ».

Vous avez sans doute remarqué que le vainqueur des élections a aussitôt martelé qu'il était maintenant le président de nous tous. Moi, je ne lui ai rien demandé. Je n'ai pas déclaré qu'il était mon président. C'est lui qui le dit : il veut être l'organisateur de nous tous, il veut représenter dignement le futur parti unique. Et pour l'instant, contre ce projet grandiose, il n'y a, à échelle de masse, que la nostalgie du vieux monde, de la droite et de la gauche, des légitimes revendications des travailleurs, de la Sécu, des fonctionnaires solidement organisés, des instituteurs de l'école laïque, et finalement de la campagne française, de ses villages, de la force tranquille... L'enregistrement du coup qui nous a été asséné provoque une intense et dépressive nostalgie du vieux monde traditionnel, du charme français et de ses balises d'orientation subjective.

Le troisième élément, après la composante pulsionnelle et la composante nostalgique, est évidemment une composante d'impuissance. Disons même : une mise en scène, une représentation subjective, de l'impuissance. Ce n'est pas que surgisse une impuissance nouvelle. « Que faire, mon Dieu, que faire ? » est pour pas mal de gens une question désespérante depuis pas mal de temps. Mais cette fois, il y a une représentation très claire, très centrée, de l'impuissance. L'impuissance était effective, elle est maintenant avérée, et je crois – je suis optimiste – qu'elle est avérée comme dimension intrinsèque de la démocratie électorale. C'est sans doute pourquoi le coup frappé est sévère. La démocratie électorale avère à quel point elle est un lieu où l'impuissance est la règle, l'impuissance de ceux qui tentent de gouverner leurs actions et leurs passions selon l'idée qu'après tout le réel est rationnel. Tout le monde voit que la démocratie électorale n'est pas un espace de choix réel, mais quelque chose qui enregistre, comme une sismographie passive, des dispositions qui sont tout à fait étrangères au vouloir éclairé, qui n'ont rien à voir avec la représentation qu'une pensée réelle peut avoir des objectifs que la volonté poursuit.

Il est très frappant, et même, en dépit de leur unanimité sur ce point, il est surprenant, il est de fait consternant, de voir que les politiciens et les commentateurs ont immédiatement souligné comme élément décisif l'importance numérique de la participation au scrutin. Ils n'ont pas dit, ce qui aurait été raisonnable : « Les gens ont beaucoup voté, on se demande bien pourquoi, vu ce qui leur était offert ». Non, ils ont dit : « Grande victoire de la démocratie. » Mais supposez que, dans un autre contexte, dans une autre époque (je prends cette comparaison parce qu'elle est bouffonne et usée), une énorme quantité de gens ait voté, mettons, pour Hitler – c'est d'ailleurs arrivé – ; que les électeurs se soient déplacés en masse pour aller faire ça ; aurait-il fallu parler d'une écrasante victoire de la démocratie ? En un sens très spécial, alors !

Si le nombre à lui seul exige qu'on le célèbre, alors cela veut dire que la démocratie est strictement indifférente à tout contenu. Qu'elle ne représente rien d'autre que sa propre forme, la mise en scène d'un élément numérique. Dans ces proclamations emphatiques, la réflexion, éventuellement morose, sur ce que les gens sont allés faire là est escamotée. Je pense que quiconque encense cette abondance du vote participe de la dépression générale. Il entérine qu'on ne puisse même pas vilipender ces absurdes votants. Même pas dire : « Si c'était pour nous faire le cadeau du trépidant maire de Neuilly, ils auraient mieux fait de rester chez eux. » On est obligé de se réjouir abstraitement : ils sont allés voter en masse ! Bien sûr, ils ont ainsi organisé un désastre, dont nous subirons tous les conséquences calamiteuses, mais gloire à eux ! Par leur nombre stupide, ils ont fait triompher la démocratie. En somme, la dépression résulte aussi de la nécessité où tous les « démocrates » se trouvent de constater que les gens ont eu ce qu'ils voulaient, que le résultat est incontestable, et qu'il n'y a plus qu'à faire avec. D'ailleurs c'est ce que tous les politiciens se sont empressés de raconter le soir même. Ils ont tous dit : « Attention, nous respectons évidemment le suffrage universel. » Plus « respectueux » que moi de la « volonté populaire », par ailleurs jugée idiote et dangereuse, tu meurs. Devant le nombre, agenouillez-vous.

Je dois vous dire que je ne respecte absolument pas le suffrage universel en soi, cela dépend de ce qu'il fait. Le suffrage universel serait la seule chose qu'on aurait à respecter indépendamment de ce qu'il produit? Et pourquoi donc? Dans aucun autre domaine de l'action et du jugement sur les actions on ne considère qu'une chose est valide indépendamment de ses effets réels. Le suffrage universel a produit une quantité d'abominations. Dans l'histoire, des majorités qualifiées ont légitimé Hitler ou Pétain, la guerre d'Algérie, l'invasion de l'Irak... Il n'y a donc aucune innocence dans les majorités « démocratiques ». Encenser le nombre parce que les gens sont allés voter, indépendamment de ce que ça a donné, et respecter la décision majoritaire dans une indifférence affichée à son contenu est une chose qui participe de la dépression générale. Parce qu'en plus, si on ne peut même pas exprimer son dégoût du résultat, si on est obligé de le respecter, vous vous rendez compte! Non seulement il faudrait constater la récurrente stupidité du nombre, mais il faudrait avoir pour elle le plus grand respect. C'est trop!

En réalité, ce qui est là pressenti, sans que les gens puissent vraiment faire le pas, c'est que les élections sont au moins autant un instrument de répression que l'instrument d'expression qu'elles prétendent être. Rien ne produit une plus grande satisfaction des oppresseurs que d'installer les élections partout, que de les imposer, au besoin par la guerre, à des gens qui ne les ont pas demandées. Notre président n'a pas manqué de dire que, pour ce qui était de la grève, par exemple, on allait voir ce qu'on allait voir. Grâce à Sarkozy, cela va être terriblement électoral la grève, il faudra une majorité absolue, avec des bulletins secrets, des huissiers derrières les urnes, etc. Est-ce pour « démocratiser » les grèves ? Allons donc ! C'est pour les rendre aussi difficiles que possible, en prenant les « usagers » comme prétexte, du reste mensonger[4]. Sur ce point, il

---

4. L'idée que les « usagers » sont systématiquement hostiles aux grèves est une contre-vérité notoire, une parmi toutes sortes de choses assénées comme des évidences par les politiciens et les médias dominants. C'est ainsi que la très longue grève des cheminots, en décembre 1995, a été soutenue dans tout le pays par des manifestations massives, plus massives même qu'en Mai 1968. On a vu, dans certaines villes de province (Roanne, par exemple), la moitié de la population totale de la ville participer aux défilés ! Et depuis, il y a eu bien d'autres contre-exemples. Tout de même que s'agissant d'un increvable dada des réactionnaires : « il y a trop de fonctionnaires », l'appui supposé des gens n'est qu'une fiction. Un sondage tout récent montre que, de toutes les propositions inlassablement détestables d'un Sarkozy en plein « état de grâce », celle qui vise à diminuer

faut quand même se souvenir de Mai 68. On
a des millions de grévistes, des manifestations
tous les jours, une alliance sans précédent
entre des jeunes qui ont des trajets différents, ouvriers et étudiants. Tout le monde est
emporté par une nouveauté massive. On voit
même des drapeaux rouges chez les habitants
des certains beaux quartiers! Partout l'extra-
vagance, en somme, partout l'espoir d'une
diminution des asservissements. Eh bien, il
a suffi que les gens au pouvoir, nommément
De Gaulle et surtout Pompidou, arrivent à
organiser des élections: on a eu la chambre
la plus massivement réactionnaire qu'on ait
vue depuis 1919, une chambre bleu horizon.
Il n'y a aucun doute que l'élection a été le
recours essentiel pour la dissolution et l'écra-
sement du mouvement. Et ce n'est certes pas
par extrémisme, mais dans la lucidité la plus
complète, que les militants criaient alors dans
les rues: « Élections, piège à cons! » Je ne dis
pas que l'essence des élections est répressive.
Je dis qu'elles sont incorporées à une forme
d'État, le capitalo-parlementarisme, appropriée à la maintenance de l'ordre établi, et
que, par conséquent, elles ont toujours une
fonction conservatrice, qui devient, en cas de
troubles, une fonction répressive. Tout cela,

---

rapidement le nombre de fonctionnaires est justement celle
qui est très minoritaire dans l'opinion.

qui est aujourd'hui représenté de façon plus claire, provoque un sentiment accru d'impuissance : si l'espace de la décision étatique ne nous laisse comme part, à nous citoyens ordinaires, que le vote, alors on ne voit plus très bien, du moins pour le moment, quelles sont les voies de passage pour une politique d'émancipation.

Et donc, au terme de toutes ces considérations, je crois qu'on peut analyser la situation subjective des débris de la gauche en France, et plus généralement des hommes et des femmes de bonne volonté, sous l'effet du triomphe de Sarkozy, comme un mélange de pulsion négative, de nostalgie historique et d'impuissance avérée.

J'éclaire ainsi la perception que j'ai de vous ce soir, mon diagnostic, si vous voulez : une asthénie dépressive. C'est donc le moment de s'appuyer sur la définition que Lacan donne de la cure analytique. Puisque nous sommes tous déprimés, la cure s'impose. Lacan disait que l'enjeu d'une cure c'est « *d'élever l'impuissance à l'impossible* ». Si nous sommes dans un syndrome dont le symptôme majeur est l'impuissance avérée, alors nous pouvons élever l'impuissance à l'impossible. Mais qu'est-ce que cela veut dire ? Beaucoup de choses. Cela veut dire trouver le point réel sur lequel tenir coûte que coûte. N'être plus dans le filet vague de l'impuissance, de la nostalgie historique et de la composante dépressive, mais trouver, construire, et tenir un point réel, dont nous savons que nous allons le tenir, précisément parce que c'est un point ininscriptible dans la loi de la situation. Si vous trouvez un point, de pensée et d'agir, ininscriptible dans la situation, déclaré par l'opinion dominante unanime à la fois (et contradictoirement...) absolument déplorable et tout à fait impraticable, mais dont vous déclarez vous-mêmes que vous allez le tenir coûte que coûte, alors vous êtes en état d'élever l'impuissance à l'impossible. Si vous tenez un tel point, alors vous devenez un sujet enchaîné aux conséquences de ce qui, unanimement tenu pour une désastreuse lubie heureusement tout à fait impossible, vous accorde au réel et vous constitue en exception du syndrome dépressif.

Toute la question est : que veut dire « tenir » un point réel de ce type, à supposer qu'on le trouve ? Tenir un point, c'est exposer l'individu animal que l'on est à devenir le sujet des conséquences du point. C'est s'incorporer à la construction de ces conséquences, au corps subjectivé qu'elles constituent peu à peu dans notre monde. Ce faisant, c'est aussi construire, dans la temporalité d'opinion, une autre durée, distincte de celle à laquelle on a été acculé par la symbolisation étatique.

Si vous êtes prisonniers de la temporalité d'opinion, vous allez vous dire, comme tant de caciques ou d'électeurs socialistes : « Nom de Dieu ! On subissait Chirac depuis douze ans, et maintenant il va encore falloir attendre le prochain tour ! Dix-sept ans ! Peut-être vingt-deux ! Une vie entière ! Ce n'est pas possible ! » Et alors, au mieux vous êtes déprimé, au pire vous devenez un rat. Le rat est celui qui, interne à la temporalité d'opinion, ne peut supporter d'attendre. Le prochain tour commandé par l'État, c'est très loin. Je vieillis, se dit le rat. Lui, il ne veut pas mariner dans l'impuissance, mais encore moins dans l'impossible ! L'impossible, très peu pour lui.

Il faut reconnaître à Sarkozy une profonde connaissance de la subjectivité des rats. Il les attire avec virtuosité. Peut-être a-t-il été rat lui-même ? En 1995, quand, trop pressé d'en venir aux choses ministérielles sérieuses, il a trahi Chirac pour Balladur ? En tout cas, trouvant les usages d'État de la psychologie du rat, il mérite un nom psychanalytiquement fameux. Je propose de nommer Nicolas Sarkozy « l'homme aux rats ». Oui, c'est juste, c'est mérité.

Le rat est celui qui a besoin de se précipiter dans la durée qu'on lui offre, sans être du tout en état de construire une autre durée. Le point à trouver doit être tel qu'on puisse lui annexer une durée différente. N'être ni rat ni déprimé, c'est construire un temps autre que celui auquel l'État, ou l'état de la situation, nous assigne. Donc un temps impossible, mais qui sera *notre* temps.

C'est le moment de revenir sur cette histoire de Mai 68. C'est tout de même très intéressant, la déclaration de notre président sur Mai 68, lors d'un grand meeting électoral. Si on comprend bien ce qu'il a voulu dire, en finir une fois pour toutes avec Mai 68 est le but suprême de son action, de la « rupture » qu'il annonce. Je vous avoue que je trouve cette déclaration assez obscure. Elle a quelque chose de profond, elle nous change des simagrées économiques et écologiques ordinaires (l'équilibre budgétaire, le salaire des cadres, le trou de la Sécu, le trou des retraites, le trou de la couche d'ozone, tous les trous qui nous obsèdent), mais elle est obscure. D'abord on avait l'impression, nous, soixante-huitards professionnels, qu'on en avait, hélas, fini depuis longtemps avec Mai 68. Qu'est-ce qu'il sait que nous ne savons pas, lui, l'homme aux rats, et qui le pousse à considérer que l'objectif fondamental de son action est de terminer Mai 68 en mai 2007, quarante ans après? Pour l'homme aux rats, Mai 68 est encore et toujours là, c'est un fait. En voilà une bonne nouvelle! Espérons qu'elle est vraie, que Mai

68 vit encore dans les esprits et dans les situations, présentes ou à venir. Mao avait l'habitude de dire « *l'œil du paysan voit juste* ». Souhaitons qu'au moins en ce qui concerne Mai 68, ce soit l'œil de l'homme aux rats ! Car si vraiment Mai 68 est pour les nouveaux réactionnaires d'État la grande question de la conjoncture, s'il y a une terrible vitalité de Mai 68, on peut dire : « Merci Monsieur, on est vraiment contents, ça nous avait échappé. »

Redevenons sérieux. Essayons d'interpréter ce que peut bien vouloir dire « Mai 68 » aujourd'hui, pour un servant des indices boursiers, un ennemi confirmé des ouvriers sans papiers et des jeunes des quartiers populaires, un obsédé de l'ordre policier, un auteur prolifique de lois scélérates. Il nous dit : Mai 68 est le moment où l'on a cessé de se représenter clairement la distinction entre le Bien et le Mal. Sarkozy a en somme une vision nietzschéenne de Mai 68. Mais enfin, Mai 68 était tout le contraire ! Ce n'était pas du tout « par-delà le bien et le mal », Mai 68. C'était au contraire une identification précise du Mal : le Mal, pour les révoltés militants de la décennie rouge, entre 1966 et 1976, ce sont les gens de la finance et de la puissance qui ressemblent à l'homme aux rats. Au fond, c'est lui le Mal. Et le Bien, c'est l'ouvrier politisé, les peuples levés, les militants de la révolution.

Mai 68 propose, au rebours de ce que nous dit Sarkozy, une séparation très claire, très forte, entre le Bien et le Mal. Sarkozy ne parle pas sérieusement de Mai 68, il ne fait que symboliser dans sa diatribe une propagande moralisatrice. Je reviendrai du reste sur le rôle de la morale dans cette affaire, notre pays en « crise morale », etc. Ce sont des discours qu'il faut analyser de près, philosophiquement. Contentons-nous pour l'instant de nous demander : Qu'est-ce qui est visé par l'homme aux rats dans son absurde diatribe morale sur le Bien et le Mal ? Quel est le spectre qui sous le nom de Mai 68 le hante, pour reprendre le fil de l'analyse de Derrida dans son livre sur les spectres de Marx ? De fait, quand Marx dit en 1848 qu'« un spectre hante l'Europe », il veut dire que le communisme – c'est le nom du spectre – est la hantise terrible des bourgeois. Alors quand Sarkozy avoue que Mai 68 est le spectre qui le hante et dont il veut se débarrasser, il parle au fond d'une des dernières manifestations réelles du spectre du communisme, et il dit ceci (permettez-moi une prosopopée de l'homme aux rats) : « Nous, réactionnaires modernes, nous ne voulons plus être hantés par quoi que ce soit. Nous allons éradiquer définitivement toute idée qui suppose qu'on peut tenir un point réel hors de la loi de l'État, hors la contrainte du monde que nous dominons. En Mai 68, des gens ont dit qu'il fallait tenir un point réel, par exemple une toute nouvelle alliance des jeunes intellectuels et des ouvriers, et ils ont tenté, autant que faire se peut, de le tenir jusqu'au bout. Voilà ce dont nous ne pouvons supporter qu'on entretienne, non seulement la réalité, mais l'idée. Nous voulons déraciner jusqu'à la possibilité de penser que ce genre d'obstination à tenir un point réel est possible. Nous voulons en somme que soit publiquement et unanimement reconnue la disparition du spectre. Le communisme empirique a disparu, c'est très bien, mais ça ne nous suffit pas. Nous voulons que toute forme du communisme possible soit également supprimée. Nous voulons que même au titre d'hypothèse, le communisme – qui est le nom générique de notre défaite et même de notre disparition – ne puisse plus être mentionné par qui que ce soit. »

Eh bien, oui, l'œil de l'homme aux rats voit juste. On peut discuter de ce qu'étaient les points que les militants et les manifestants des années rouges tentaient de tenir. Ce qui est sûr est qu'ils relevaient tous de l'hypothèse communiste, en son sens générique : passer outre le capitalisme, la propriété privée, la circulation financière, l'État despotique, et ainsi de suite. Maintenant, étaient-ils bien choisis ou mal choisis, vraiment nouveaux ou encore trop marqués par l'ancien? C'est une discussion entre nous, animateurs contemporains du spectre du communisme, et non une discussion avec l'homme aux rats. Cependant, il a raison de penser qu'il y avait là quelque chose de menaçant (pour lui et les siens), quelque chose qui se déployait, qui se dépliait, qui a commencé vers 1965, et qui a duré comme phénomène de masse jusque vers 1975, quelque chose qui relevait d'une discipline neuve, d'une abnégation nouvelle, celles d'un point réel tenu dans une sorte d'indifférence joyeuse à la loi étatique et commerciale du monde, telle qu'elle était par ailleurs prodiguée.

Si cette élection est importante, c'est parce qu'elle charrie la conviction que partagent ceux qui arrivent maintenant au pouvoir, et qu'ont aussi tous ceux qui vont les suivre, que peut-être on peut en finir avec ce « quelque chose » dont Mai 68 est l'un des noms, le plus récent en France. En finir comment? En faisant en sorte que la métamorphose des individus consommateurs, passifs et stéréotypés, en sujets d'un processus réel, où tenir quelque point est la règle, soit, au sens strict, hors la loi. Pas uniquement au sens policier, ce qui ne manquera pas d'arriver. Mais au sens où cette métamorphose appartiendrait pour toujours à l'ordre de l'irreprésentable absolu. Faire « quelque chose » qui ne soit pas interne à la temporalité qui nous est proposée tomberait en dehors, non seulement de la loi du monde empirique, mais de la loi de tout monde possible ou imaginable.

Si l'on suppose cette opération accomplie (et c'est ce que veut dire « en finir avec Mai 68 ») la tentation de la soumission devient impérieuse. Car tenir un point « illégal » est la seule chose qui soit en dialectique authentique avec la pulsion négative, avec la dépression soumise. S'il n'y a pas ce point, alors la seule issue vivable, ou (sur)vivable, est la soumission la plus abjecte à la réalité. Nous retrouvons ici une dialectique lacanienne, celle du réel et de la réalité. Si rien ne vient trouer la réalité, si rien n'est en exception d'elle, si aucun point ne peut être tenu pour son propre compte coûte que coûte, alors il n'y a que la réalité et que la soumission à cette réalité, à ce que Lacan appelait « *le service des biens* ». Et la violence contre Mai 68 cherche à préserver l'hégémonie sans réserve du service des biens. Comme nous le savons, le service des biens c'est le service de ceux qui ont des biens. La fameuse escapade de Sarkozy sur un yacht de milliardaire – juste après les beuveries mondaines au Fouquet's le soir de sa victoire –, n'est pas du tout une faute, un impair, comme on l'a parfois présentée. Certes, il est allé voir et remercier ses commanditaires, ses parrains, les gens de la haute finance dont il est le vassal. Mais il a surtout déclaré à tout le monde que ce serait désormais comme ça : il n'y a rien de mieux que le gain personnel, tout est désormais sous la règle du service des biens. C'est la seule règle de ce monde, que constitue de part en part la circulation des capitaux. Qu'avez-vous à dire là-contre ? Quiconque n'a pas un point réel, en exception justement de la règle, un point au nom duquel il parle universellement de façon désintéressée, n'a rien à répondre. Si le service des biens est la loi du monde, pourquoi n'en être pas pénétré ? Sarkozy a symboliquement montré qu'il se servait en servant ceux qui ont des biens, que c'était pour ça qu'on l'avait élu, qu'une masse de nigauds l'avait élu. Quant à ceux qui ne sont pas en état de se servir en servant le service des biens, tant pis pour eux. Ils n'avaient qu'à refuser que le service des biens soit la maxime du monde. Ils n'avaient qu'à s'abstenir de voter, singulièrement de voter pour l'homme aux rats.

Nous pouvons commencer à conclure. Élever l'impuissance à l'impossible, c'est se détourner du service des biens, qui est l'impuissance du possible. C'est donc faire choix d'un point tel qu'il soit *votre* point et que vous disiez, contre la loi du monde, que vous le tiendrez coûte que coûte. Quel point ? N'importe lequel, dès lors qu'il est formellement en exception de la particularité du service, et propose universellement la discipline d'une vérité.

III

Huit points, début

Puisque tout repose, dans le monde dont Sarkozy est l'emblème, sur la fermeté à tenir quelque point, soyons prodigues. Je vous mets sur la piste de huit points praticables. Ce n'est ni un programme ni une liste, c'est une table des possibles, abstraite et incomplète, naturellement.

Point 1. *Assumer que tous les ouvriers qui travaillent ici sont d'ici, doivent être considérés égalitairement, honorés comme tels, et singulièrement les ouvriers de provenance étrangère.*

Question essentielle, dont la conséquence véritable est d'une ampleur non encore prospectée dans toutes ses dimensions : rétablir le signifiant « ouvrier » dans le discours-action de la politique. Non, certes, selon la ligne qui prévalait au XIXᵉ siècle, celle de la première époque de l'hypothèse communiste (la classe ouvrière, élément moteur du mouvement historique naturel vers l'émancipation de l'Humanité tout entière). Ni non plus selon la ligne qui prévalait au XXe siècle, celle de la deuxième époque de l'hypothèse communiste (le parti de la classe ouvrière, direction indispensable et unique de la politique révolutionnaire, puis, sous la forme du parti-État, organe exclusif de la dictature du prolétariat). Mais selon une troisième ligne, encore au stade expérimental : « ouvrier » comme le nom générique de tout ce qui peut se soustraire, sous une forme organisée, à l'hégémonie réalisée du capital financier et de ses servants.

Dans l'expérience immédiate de cette question, l'organisation des ouvriers d'origine étrangère occupe une position stratégique. Nous l'apprenons déjà par les agissements de ce « professeur par l'exemple négatif », comme disaient les communistes chinois, qu'est la politique parlementaire. Contrôler l'immigration, renvoyer les gens chez eux, qu'ils apprennent le français trois ans à l'avance, regroupement familial interdit, scolarisés chassés, droit d'asile limité, puis aboli, misérables campagnes « civilisées » contre les coutumes des gens qui arrivent, féminisme agressif et emprisonneur, laïcité d'exclusion et de répression vestimentaire, délation et rafles... Ces campagnes incessantes nous indiquent la cible principale de l'ennemi, toutes tendances confondues (les socialistes ont, dès les années quatre-vingt du siècle passé, donné le *la*), et par conséquent le lieu de notre action.

Commencez donc par dire, ce sera votre point : « Les ouvriers de provenance étrangère doivent être reconnus par l'État comme de libres sujets. Ils doivent même être honorés comme tels. Construisons un ensemble de procédures visant à ce que non seulement ces ouvriers, ces familles, ces enfants, soient protégés, mais qu'ils s'organisent comme puissance politique populaire afin que tout un chacun, fût-ce sous l'effet d'une crainte salutaire de leur force, les considère comme de libres sujets, honneur de ce pays. Oui, qu'ils soient honorés. Car, entre nous, il y a quand même beaucoup plus de raisons d'honorer un Malien qui fait la plonge dans un restaurant chinois, devenu – à force de participer, après son interminable travail, à des réunions et à des interventions – un intellectuel organique de la politique nouvelle, que d'honorer l'homme aux rats.

Parlons le langage de Nietzsche. Il faut savoir s'incorporer au mouvement de la transvaluation des valeurs établies. Il y a des moments où il faut savoir affirmer le retournement des apparences infligées. Il faut avoir la liberté, gagée sur la pensée-action de la politique, de dire que nombre de ceux qui sont persécutés doivent absolument être honorés, non parce qu'ils sont persécutés (cela, c'est l'abomina-

tion humanitaire et charitable, l'opium du
petit-bourgeois), mais parce qu'au nom de
nous tous, ils organisent l'affirmation d'une
pensée différente de la vie humaine. Ce fut
le geste de Marx lui-même : les ouvriers, qui
n'ont rien, qui sont considérés comme la classe
dangereuse, je vais les honorer, et participer
activement à leur organisation (la Première
Internationale), en tant qu'ils sont le moteur
collectif de l'Histoire de l'émancipation, les
principaux bâtisseurs d'une société égalitaire. Quelle que soit l'échelle à laquelle nous
pouvons aujourd'hui réitérer de façon neuve
ce geste, nous le ferons. Nous rejetterons le
verdict de Sarkozy et de ses rats, qui déclare
du haut de son insignifiance réactionnaire que
cet homme-là, le Malien de la plonge, est tout
juste toléré, et doit remplir d'innombrables
conditions pour pouvoir seulement rester où il
est. Nous construirons, en scission du temps de
l'opinion, une durée collective à l'intérieur de
laquelle non seulement le Malien de la plonge
gagnera une reconnaissance comme libre sujet,
mais où il sera particulièrement honoré. » Pour
tenir ce point, les appuis ne font pas défaut [5].

---

5. Pour ce qui est d'une tenue effective de ce point 1, on se
référera aux propositions et actions du Rassemblement des
Collectifs des Ouvriers Sans Papiers des Foyers. Écrire à
« Le Journal Politique, s/c Le Perroquet, BP 84, 75462 Paris
Cedex 10. Consulter le site internet : *orgapoli.net*

Point 2. *L'art comme création, quelles que soient son époque et sa nationalité, est supérieur à la culture comme consommation, si contemporaine soit-elle.*

On a quantité de lieux pour affirmer de ce point la validité et la pertinence. Les médias et les écoles notamment. En particulier quand il s'agit de soutenir, par exemple, que *Le dit du Genji*, publié au XIᵉ siècle au Japon par Dame Murasaki Shikibu, est incommensurablement supérieur à tous les prix Goncourt des trente dernières années. Ou qu'il n'y a aucune raison de préférer expliquer aux élèves, fussent-ils en sixième, *La gloire de mon père* de Pagnol plutôt que *La princesse de Clèves*. Mais aussi quand il s'agit de soutenir qu'il est ridicule de mettre sur le même plan, au nom de l'uniformité de ce qu'on nomme « les musiques », la chanson de variété, la comédie musicale, le folklore des îles lointaines, les danses paysannes, les tambours africains, Boulez, Messiaen ou Ferneyhough ; qu'on doit évaluer les musiques de divertissement à partir des musiques véritables, et non l'inverse ; et, en fin de compte, les musiques du passé à l'aune des inventions contemporaines, en sorte que rien n'atteste davantage le désir réactionnaire contemporain que de s'extasier, comme le font les « baroqueux » fanatiques, sur les œuvres d'un cuistre du XVIIᵉ siècle, retrouvées sous une bienheureuse poussière dans la

bibliothèque de Montpellier et interprétées
à grand renfort d'aigres « instruments d'origine », alors qu'on méprise et qu'on s'abstient
de faire entendre les plus grands chefs-d'œuvre
du XXe siècle.

Point 3. *La science qui est intrinsèquement
gratuite, l'emporte absolument sur la technique,
même et surtout profitable.*

S'organiser et lutter sur ce point est d'une
grande importance, notamment au regard des
institutions de recherche, des programmes
scolaires, des comptes rendus que donne la
presse des constructions scientifiques nova-
trices. La validité universelle et générique de
l'invention scientifique, qu'elle ne soit pas
commensurable à la profitabilité technique, est
un point qui doit être réaffirmé aujourd'hui,
avec, comme paradigme central, comme l'a
vu Platon, la haute mathématique, dont il est
crucial de réaffirmer, contre son organisation
sélective et aristocratique, que, étant la clarté
même de la pensée pure, elle appartient tout
spécialement à tous.
Vous connaissez sans doute les déclara-
tions de l'homme aux rats sur la littérature
ancienne. C'est un exemple qui peut valoir
pour les sciences sans applications connues. Il
a dit en substance : « *Vous pouvez faire si ça vous*

chante des études de littérature ancienne, mais vous n'allez pas quand même pas demander à l'État de vous les payer. L'argent des contribuables doit aller à l'informatique et à l'économie. » C'est une des innombrables citations de ce personnage, littéralement agenouillé devant les profits et les profiteurs. Il élabore, notre président, une ontologie du profit : ce qui n'a pas de profitabilité n'a pas de raison d'être, et si quelques hurluberlus continuent à être attachés à des activités mentales gratuites, qu'ils se débrouillent tout seuls, ils n'auront pas un sou !

Tenir ce point signifie que ce qui a une valeur universelle, et donc soutient une relation avec les vérités dont l'humanité est capable, n'est pas du tout homogène à ce qui a une valeur marchande. Il est tout à fait important que ce qui a une valeur universelle soit mis à sa place, la première, et honoré comme tel. La question de la valeur de la science rejoint ici celle des valeurs politiques. On honorera les créateurs de mathématique élevée comme on honorera les ouvriers qui, à travers des péripéties existentielles incroyables, parlant très souvent quatre ou cinq langues, sont venus travailler ici pour faire les choses que personne n'a envie de faire, et trouvent en outre le temps de s'incorporer aux inventions politiques. C'est vous qui faites la vaisselle dans les restaurants, qui nettoyez par terre, qui creusez des trous dans les rues, en outre vous tenez des réunions sans précédent, on va au moins vous honorer pour ça. C'est la même chose pour les sciences. Ce qui relève, quoiqu'à la fois difficile et lumineux, de la gratuité essentielle de l'activité pensante, doit être soutenu et honoré dans son essence même, contre la norme de la technicité profitable.

Donnons raison à Auguste Comte, qui avait bien vu que le devenir de l'humanité exigeait une alliance inédite entre les prolétaires et la pensée scientifique (et la Femme, mais c'est le point suivant).

Point 4. *L'amour doit être réinventé (point dit « de Rimbaud »), mais aussi tout simplement défendu.*

L'amour, procédure de vérité portant sur le Deux comme tel, sur la différence en tant que différence, est menacé de toutes parts. Il est menacé sur sa gauche, si je puis dire, par le libertinage, qui le réduit aux variations sur le thème du sexe, et sur sa droite, par la conception libérale, qui le subordonne au contrat. C'est sur l'amour que se concentrent les offensives ruineuses et conjointes des libertaires et des libéraux. Les premiers soutiennent les droits de l'individu démocratique à la jouissance sous toutes ses formes, sans voir que, dans un monde réglé par la dictature marchande, ils servent de fourriers à la pornographie, qui est un des plus importants marchés planétaires. Les seconds voient l'amour comme un contrat entre deux individus libres et égaux, ce qui revient à se demander si les avantages qu'en tire l'un balancent équitablement ceux qu'en tire l'autre. Dans tous les cas, on reste interne à la doctrine selon laquelle tout ce qui existe relève de l'arbitrage entre des intérêts individuels. La seule différence entre les libertaires et les libéraux, qui valident comme norme unique la satisfaction des individus, est le recours des premiers au désir, contre le recours des seconds à la demande.

On soutiendra, contre cette vision des choses, que l'amour commence au-delà du désir et de la demande, que cependant il enveloppe. Il est examen du monde du point du Deux, en sorte que l'individu n'est aucunement son territoire. S'il y a un sujet de l'amour, c'est précisément parce qu'il est une construction disciplinée qui ne se laisse ramener ni à la satisfaction du désir, ni au contrat égalitaire entre individus responsables. L'amour est violent, irresponsable et créateur. Sa durée est irréductible à celle des satisfactions privées. Il crée une pensée neuve, dont le contenu unifié porte sur la disjonction et ses conséquences. Tenir le point de l'amour est grandement éducatif sur la mutilation qu'impose à l'existence humaine la prétendue souveraineté de l'individu. L'amour enseigne en effet que l'individu comme tel n'est que vacuité et insignifiance. À soi seul, cet enseignement mérite de considérer l'amour comme une noble et difficile cause des temps contemporains.

Point 5. *Tout malade qui demande à un médecin d'être soigné doit être, par celui-ci, examiné et soigné le mieux possible, dans les conditions contemporaines de la médecine telles que ce médecin les connaît, et ce sans aucune condition d'âge, de nationalité, de « culture », de statut administratif ou de ressources financières (c'est le point d'Hippocrate).*

Il s'agit de redonner toute sa force à une maxime grecque, le « serment d'Hippocrate », aussi ancienne et juste qu'elle est aujourd'hui complètement rayée des tablettes. Aujourd'hui, pour soigner quelqu'un, il faut d'abord considérer l'état de l'économie, les crédits de l'hôpital, la hiérarchie des services, la provenance du malade, s'il est noir ou blanc, ses ressources, quels sont ses papiers, etc. La question de la santé et de la fonction médicale est en passe d'être totalement absorbée par les considérations budgétaires, par la police des étrangers et par la discrimination sociale. Cela va bien au-delà des menaces, par ailleurs très réelles, qui pèsent sur notre système national de remboursement des soins, qui est, de notoriété publique, au grand dam des rats de toutes sortes, le meilleur du monde. Cela concerne la définition même de la médecine. Un très grand nombre de praticiens, aujourd'hui, notamment dans la hiérarchie hospitalière, se font les agents ou les complices d'une gestion bureaucratisée pratiquant de plus en plus une ségrégation insupportable. C'est pourquoi le point d'Hippocrate doit leur être rappelé avec la plus grande énergie.

Point 6. *Tout processus qui est fondé à se présenter comme le fragment d'une politique d'émancipation doit être tenu pour supérieur à toute nécessité de gestion.*

On ajoutera un seul et bref commentaire : il faut particulièrement affirmer cette supériorité quand la contrainte gestionnaire se déclare « moderne », prétend qu'elle résulte d'un « nécessaire souci de réformer le pays » ou veut « en finir avec les archaïsmes ». Il y va de l'impossible, c'est-à-dire du réel qui seul nous relève de l'impuissance. La « modernisation », on le voit tous les jours, est le nom d'une définition stricte et servile du possible. Les « réformes » visent invariablement à rendre impossible ce qui était praticable (pour le grand nombre) et fructueux ce qui ne l'était pas (pour l'oligarchie dominante). Contre la définition gestionnaire du possible, affirmons que ce que nous allons faire, quoique tenu par les agents de cette gestion pour impossible, n'est en réalité, au point même de cet impossible, que la création d'une possibilité antérieurement inaperçue, et universellement valide.

Point 7. *Un journal qui appartient à de riches managers n'a pas à être lu par quelqu'un qui n'est ni manager ni riche.*

Voilà un tout petit point, applicable sans délai. Regardez à qui sont vraiment les journaux, y compris les télévisés les plus suivis. Ils appartiennent au roi du béton, au prince du produit de luxe, à l'empereur des avions de guerre, au magnat des magazines pipoles, au financier des eaux potables... En bref, à tous les gens qui, dans leurs yachts et leurs propriétés, prennent le petit Sarkozy, qui a bien réussi son coup, sur leurs genoux hospitaliers. Comment acceptons-nous cet état de fait ? Pourquoi l'information des larges masses populaires aurait-elle à dépendre du prix des bétonneuses, ou du marché mondial de la peau d'autruche ? Ne lisons plus, ne regardons plus que ce qui vient d'ailleurs que des circuits commerciaux dominants. Que les propriétaires richissimes des journaux de partout la fassent circuler entre eux, leur prose. Désintéressons-nous des intérêts que leur intérêt souhaite voir devenir les nôtres.

Point 8. *Il y a un seul monde.*

Ce point est si important, que je vais y consacrer une section tout entière.

IV

LE HUITIÈME POINT

Reprenons le point 8. Que signifie : « il y a un seul monde » ?

Nous savons que le capitalisme contemporain vante sa qualité mondiale. On parle partout de mondialisation. Les ennemis de cette mondialisation disent qu'ils veulent un autre monde. Ils parlent de « alter mondialisation ». Ainsi, le monde n'est plus seulement le lieu de l'existence des hommes. C'est aussi l'enjeu de la bataille politique. La question est : quel monde ? Et cette question en contient deux. Il y a la question analytique : dans quel(s) monde(s) vivons-nous ? Et puis, il y a la question normative : dans quel monde désirons-nous vivre ?

Le lien pratique entre la question analytique et la question normative donne une définition courante de la politique : une politique propose les moyens de passer du monde tel qu'il est au monde tel que nous voulons qu'il soit. L'altermondialisme, l'écologie, la démocratie, le développement durable, la défense des droits de l'homme… Toutes ces pratiques semblent définir des politiques sur la scène mondiale.

Tout cela est très clair, si vraiment aujourd'hui nous pouvons dire qu'un monde existe. Mais est-ce véritablement le cas? La réponse est complexe. Premièrement, le capitalisme déchaîné déclare que ses normes, en particulier ce qu'il appelle « démocratie » et « libertés », doivent devenir celles du monde entier, et sont en passe de le devenir grâce aux efforts de la « communauté internationale » en général (un sujet plutôt bizarre, soit dit en passant, cette « communauté », surtout quand elle se confond avec la servilité de la bureaucratie nommée ONU), et à ceux des nations « civilisées » en particulier (les USA et leur clientèle). Deuxièmement, il est clair que le même capitalisme déchaîné tente d'imposer la conviction politique qu'il y a deux mondes séparés, et non pas un seul. Il y a le monde des riches et des puissants, et l'immense monde des exclus, des soumis et des persécutés. Cette contradiction nous rend soupçonneux sur la réalité de la mondialisation, et sur les politiques qui s'en réclament, pour ou contre. Il se pourrait que la question politique ne soit pas: « Comment bâtir le monde que nous désirons dans et contre le monde "démocratique" et capitaliste? » Mais: « Comment affirmer l'existence d'un seul monde, celui, indivisible, de tous les vivants, là où s'affirme, souvent par la violence, qu'un tel monde n'existe pas[6] ? » Une question d'existence, et non pas une question de qualité. Avant de se soucier de « la qualité de la vie », comme s'y consacrent les citoyens repus du monde protégé, encore faut-il vivre, comme le tentent désespérément, ailleurs, mais ici de plus en plus, des milliards d'animaux humains.

Pourquoi puis-je dire que l'axiome réel de la politique dominante est que le monde unifié des sujets humains n'existe pas ? Parce que le monde qu'on déclare exister, et devoir s'imposer à tous, le monde de la mondialisation, est uniquement un monde des objets et des signes monétaires, un monde de la libre circulation des produits et des flux financiers. Il est exactement le monde prévu par Marx, il y a cent cinquante ans : le monde du marché mondial. Dans ce monde, il n'y a que des choses – les objets vendables – et des signes – les instruments abstraits de la vente et de l'achat, les différentes formes de la monnaie et du crédit. Mais il n'est pas vrai que, dans ce

---

6. La thèse « il y a un seul monde » est constitutive de l'action de masse du groupe « Collectif politique Sida en Afrique : la France doit fournir les traitements », dont le journal est « Pays intervention fleuve ». On trouve la documentation complète sur le site : entretemps.asso.fr/Sida.

monde, existent librement des sujets humains. Et pour commencer, ils n'ont absolument pas le droit élémentaire de circuler et de s'installer où ils veulent. Dans leur écrasante majorité, les femmes et les hommes du prétendu monde, le monde des marchandises et de la monnaie, n'ont nullement accès à ce monde. Ils sont sévèrement enfermés à l'extérieur, là où il y a pour eux très peu de marchandises et pas du tout de monnaie. « Enfermement » est ici très concret. Partout dans le monde, on construit des murs. Le mur qui doit séparer les Palestiniens et les Israéliens ; le mur à la frontière entre le Mexique et les États-Unis ; le mur électrique entre l'Afrique et l'Espagne ; le maire d'une ville italienne propose de construire un mur entre le centre de la ville et la banlieue ! Toujours des murs pour que les pauvres restent enfermés chez eux. Sans compter les murs des prisons, car les prisons sont devenues, chez les riches, une grande industrie rentable, où croupissent, jetés qu'ils y sont par une activité policière et juridique de plus en plus féroce, des millions de pauvres, ou de demi-pauvres, singulièrement des jeunes, très souvent noirs, arabes, latino-américains…

Il y a presque vingt ans, le mur de Berlin est tombé. C'était, chantaient la presse et les politiciens du monde « libre », le symbole de l'unité de la planète, après soixante-dix ans de séparation. Pendant ces soixante-dix ans, il était clair qu'il y avait deux mondes : le monde socialiste et le monde capitaliste. On disait : le monde totalitaire et le monde démocratique. Alors, la chute du mur de Berlin était le triomphe d'un monde unique, le monde de la démocratie. Mais aujourd'hui nous voyons que le mur s'est seulement déplacé. Il était entre l'Est totalitaire et l'Ouest démocratique. Il est aujourd'hui entre le Nord capitaliste riche et le Sud dévasté et pauvre, et plus généralement entre les territoires protégés des bénéficiaires de l'ordre établi, et les terrains vagues où s'installent, vaille que vaille, tous les autres. À l'intérieur des pays, « développés » (comme on dit encore), la contradiction politique reconnue opposait une classe ouvrière éventuellement forte et organisée, et une bourgeoisie dominante qui contrôlait l'État. Aujourd'hui, il y a, côte à côte, les riches bénéficiaires du trafic mondial et la masse énorme des exclus.

« Exclu » est le nom de tous ceux qui ne sont pas dans le vrai monde, qui sont dehors, derrière le mur et les barbelés, qu'ils soient paysans dans les villages de la misère millénaire, ou qu'ils soient urbains dans les favelas, les banlieues, les cités, les foyers, les squats et les bidonvilles. Il y avait, jusque vers les années quatre-vingt-dix du siècle dernier, un mur idéologique, un rideau de fer politique ; il y a maintenant un mur qui sépare la jouissance des riches du désir des pauvres. Tout se passe comme si, pour qu'existe le monde unique des objets et des signes monétaires, il fallait durement séparer les corps vivants selon leur provenance et leurs ressources.

Aujourd'hui, il n'y a pas de monde des humains, au sens précis où, derrière la propagande sur la mondialisation, la thèse qui gouverne des politiques de plus en plus violentes et fermées est qu'il y a deux mondes, au moins. Le prétendu monde unifié du Capital a pour prix la brutale, la violente division de l'existence humaine en deux régions séparées par des murs, des chiens policiers, des contrôles bureaucratiques, des patrouilles navales, des barbelés et des expulsions.

Pourquoi ce que les politiciens et la presse asservie des pays occidentaux appellent (en France, l'expression vient de Le Pen) le « problème de l'immigration » est-il devenu, dans tous les pays concernés, une donnée fondamentale de la politique des États ? Parce que tous ces étrangers qui arrivent, qui vivent et qui travaillent ici, sont la preuve que la thèse de l'unité démocratique du monde réalisée par le marché et par la « communauté internationale » est entièrement fausse. Si elle était vraie, nous devrions accueillir ces « étrangers » comme des gens du même monde que nous. Nous devrions les traiter comme on traite quelqu'un venu d'une autre région qui fait halte dans votre ville, puis y trouve du travail et s'y installe. Mais ce n'est pas du tout ce qui se passe. La conviction la plus répandue, et que les politiques gouvernementales ne cessent de vouloir renforcer, est que *ces gens viennent d'un autre monde*. Voilà le problème. Ils sont la preuve vivante que notre monde démocratique et développé n'est pas, pour les tenants de l'ordre capitaliste dominant, le monde unique des femmes et des hommes. Il existe chez nous des femmes et des hommes qui, quoiqu'ils vivent et travaillent ici comme tout un chacun, n'en sont pas moins considérés comme venus d'un autre monde. La monnaie est partout la même, le dollar ou l'euro sont partout les mêmes; les dollars ou les euros que possède cet étranger venu d'un autre monde, tout le monde les accepte volontiers. Mais lui, ou elle, dans sa personne, sa provenance, sa façon d'exister, on s'efforce de nous faire dire qu'il, ou elle, n'est pas de notre monde. Les autorités de l'État et leurs suivants aveugles le contrôleront, lui interdiront le séjour, critiqueront sans merci ses coutumes, sa façon de s'habiller, ses pratiques familiales ou religieuses. Bien des gens, animés par la peur, et organisés dans cette peur par l'État, se demanderont avec anxiété combien il y en a chez nous, combien de ces gens qui viennent d'un autre monde? Des dizaines de milliers? Des millions? Question horrible, quand on y pense. Question qui prépare forcément la persécution, l'interdiction, l'expulsion en masse. Question qui, dans d'autres circonstances, a préparé des exterminations.

Nous savons parfaitement aujourd'hui que, si l'unité du monde est celle des objets et des signes monétaires, alors, démocratie ou pas, pour les corps vivants, il n'y a pas d'unité du monde. Il y a des zones, des murs, des voyages désespérés, du mépris et des morts. C'est pourquoi la question politique centrale aujourd'hui est bien celle du monde, de l'existence du monde.

Beaucoup voient cela comme un élargissement de la démocratie. Il faudrait étendre au monde entier la bonne forme du monde, celle qui existe dans les démocraties occidentales ou au Japon. Mais cette vision est absurde. Le monde démocratique occidental a pour base matérielle absolue la libre circulation des objets et des signes monétaires. Sa maxime subjective la plus fondamentale est la concurrence, la libre concurrence qui impose la suprématie des richesses et des instruments de la puissance. La conséquence fatale de cette maxime est la séparation des corps vivants par et pour la défense acharnée des privilèges de la richesse et de la puissance.

Nous connaissons aujourd'hui la forme concrète de cet « élargissement » de la démocratie, à laquelle se consacre la « communauté internationale », soit la coalition des États gendarmes de la planète. C'est, tout simplement, la guerre. La guerre en Palestine, en Irak, en Afghanistan, en Somalie, en Afrique… Que, pour organiser des élections il faille faire de longues guerres doit nous amener à réfléchir, non seulement sur la guerre, mais sur les élections. À quelle conception du monde est liée aujourd'hui la démocratie électorale ? Après tout, cette démocratie impose la loi du nombre. Tout comme le monde unifié par la marchandise impose la loi monétaire du nombre. Il se pourrait bien qu'imposer par la guerre le nombre électoral, comme à Bagdad ou à Kaboul, nous ramène à notre problème : si le monde est celui des objets et des signes, c'est un monde où tout est compté. En politique aussi, on doit compter. Et ceux qui ne comptent pas, ou sont mal comptés, on leur imposera par la guerre nos lois comptables. Et, en outre, si la loi comptable donne un résultat hétérogène aux résultats que nous en attendons, nous imposerons derechef, par la violence policière et la guerre, non seulement le compte, mais le « bon » compte, celui qui fait que la démocratie doit élire des démocrates, c'est-à-dire des pro-américains, des clients dociles, et personne d'autre. Comme on l'a vu quand les Occidentaux, et certains de nos intellectuels en première ligne, ont applaudi, en Algérie, l'interruption du processus électoral qui avait donné la victoire aux « islamistes », ou quand les mêmes ont refusé de reconnaître l'écrasante victoire électorale du Hamas dans les territoires palestiniens. Ces mêmes Occidentaux n'ont pas hésité à monter une opération militaire pour contraindre à la démission et à l'exil le président régulièrement élu d'Haïti, Aristide, par ailleurs absolument majoritaire dans son opinion publique. Sans compter que le Hezbollah, non moins majoritaire dans le Sud Liban, n'en est pas moins considéré comme une organisation « terroriste ». Dans les quatre cas, ce déni par les « démocraties » de leurs propres normes comptables fait voir la vérité de ces normes : la perpétuation, par des partis finalement indiscernables, de l'ordre capitaliste établi, et la défense de cette perpétuation par la guerre. Car telle est bien la rançon des comptes électoraux quand ils sont à la fois imposés et déniés. Guerre civile et étrangère en Palestine, atroce guerre civile en Algérie, guerre d'agression au Liban, entretien soigneux de divers seigneurs de la guerre dans tout le continent africain.

Tout cela prouve que le monde ainsi conçu, en réalité n'existe pas. Ce qui existe est un faux monde clos, maintenu artificiellement séparé de l'humanité générale par une incessante violence.

Il faut alors renverser le problème. Nous ne pouvons aller d'un accord analytique sur l'existence du monde en direction d'une action normative quant aux qualités de ce monde. Le désaccord porte, comme tout vrai désaccord, non sur des propriétés, mais sur des existences. Face aux deux mondes artificiels et meurtriers dont « Occident », ce mot maudit, nomme la disjonction, il faut affirmer dès le début, comme un axiome, comme un principe, l'existence d'un seul monde. Il faut dire cette phrase très simple : « Il y a un seul monde » Cette phrase n'est pas une conclusion objective. Nous savons que, sous la loi monétaire, il n'y a pas un monde unique des femmes et des hommes. Il y a le mur qui sépare les riches et les pauvres. Cette phrase : « il y a un monde », est performative. Nous décidons qu'il en est ainsi pour nous. Nous serons fidèles à cette phrase. Il s'agit de tirer les conséquences très dures et difficiles de cette phrase très simple.

Une première conséquence, elle-même très simple concerne les gens d'origine étrangère qui vivent parmi nous. Cet ouvrier africain noir que je vois dans la cuisine du restaurant, ou ce Marocain que je vois creuser un trou dans la rue, ou cette femme voilée qui garde des enfants dans un jardin : tous ceux-là sont du même monde que moi. C'est le point capital. C'est là que nous renversons l'idée dominante de l'unité du monde par les objets, les signes et les élections, idée qui conduit à la persécution et à la guerre. L'unité du monde est celle des corps vivants et actifs, ici, maintenant. Et je dois soutenir absolument l'épreuve de cette unité : ces gens qui sont ici, différents de moi par la langue, le costume, la religion, la nourriture, l'éducation, ils existent dans le même monde, ils existent comme moi, tout simplement. Puisqu'ils existent comme moi, je peux discuter avec eux, et alors, comme avec tout le monde, il peut y avoir des accords et des désaccords. Mais sous la condition absolue de ce qu'ils existent exactement comme moi, ce qui veut dire, dans le même monde.

C'est ici qu'intervient l'objection de la différence des cultures. Comment cela ? Ils sont du même monde que moi ? Notre monde est l'ensemble de tous ceux pour qui « nos » valeurs valent réellement. Par exemple, ceux qui sont démocrates, ceux qui respectent les femmes, ceux qui soutiennent les droits de l'homme... Pour ceux-là il y a un même monde. Mais ceux qui ont une culture opposée ne sont pas vraiment de notre monde. Ils ne sont pas démocrates, ils oppriment les femmes, ils ont des coutumes barbares... S'ils veulent entrer dans notre monde, il faut qu'ils apprennent nos valeurs ; il faut qu'ils partagent nos valeurs. Le mot pour dire tout ça est « intégration » ; il faut que celui qui vient d'ailleurs s'intègre à notre monde. Pour que le monde de l'ouvrier et de nous autres, les maîtres de ce monde, soit le même, il faut qu'il devienne, lui, l'ouvrier africain, le même que nous. Il faut qu'il aime et pratique les mêmes valeurs.

L'actuel président de la République française, Nicolas Sarkozy, a dit, du temps où il était à la fois candidat et chef suprême de la police : « *Si des étrangers veulent rester en France, qu'ils aiment la France, sinon, qu'ils s'en aillent.* » Et je me suis dit : je devrais partir, parce que je n'aime absolument pas la France de Nicolas Sarkozy. Je ne partage pas du tout ses valeurs. Contrairement à l'opinion dominante, je ne souhaite le départ forcé de personne, je m'oppose fermement à toutes les expulsions. Cependant, si quelqu'un devait absolument partir, être expulsé, je préférerais de beaucoup que ce soit Sarkozy, par exemple, ou le ministre expulseur Hortefeux, plutôt que mes amis africains des foyers. Il est clair en somme que je ne suis pas intégré. En réalité, si vous posez des conditions pour que l'ouvrier africain soit du même monde que vous, vous avez déjà ruiné et abandonné le principe : « Il y a un seul monde des femmes et des hommes vivants. »

Philosophiquement, dire : « il y a un seul monde », c'est dire que ce monde est justement, dans son unité même, un ensemble d'identités et de différences. Les différences, loin de faire objection à l'unité d'un monde, en sont le principe d'existence. C'est ce que j'appelle le « transcendantal » d'un monde, qui en est la loi logique immanente[7]. « Un seul monde », cela veut dire que la mesure transcendantale des intensités identifiantes, donc des différences, est partout accessible à tous, en tant qu'elle est la même. Une unité telle que, pour avoir le droit d'y figurer, il faille être identique à tous les éléments qui en font partie, ne saurait être « un monde ». C'est une partie fermée d'un monde qui la déborde et la corrode. C'est – comme si on voulait revenir à ce que rêvait Fichte sous le nom d'« État commercial fermé » – le retour des formes les plus barbares du nationalisme mental. Même le sens commun sait qu'« il faut de tout pour faire un monde ».

---

7. Le concept de transcendantal est longuement et techniquement déployé dans mon dernier livre proprement philosophique, *Logiques des mondes*, (Le Seuil, 2006). On peut en particulier lire l'introduction du livre II, pour avoir une idée de la fonction de ce concept : régler l'ordre d'apparition des multiplicités dans un monde.

Vous me direz: il y a quand même les lois d'un pays. Bien sûr. Mais une loi est absolument autre chose qu'une condition. Une loi vaut égalitairement pour tous. Une loi ne fixe pas une condition pour appartenir au monde. Elle est simplement une règle provisoire qui existe dans une région du monde unique. Et on ne demande pas d'aimer une loi. Seulement de lui obéir.

Le monde unique des femmes et des hommes vivants peut bien avoir des lois. Il ne peut pas avoir des conditions subjectives, ou « culturelles », d'existence en son sein. Il ne peut pas exiger que, pour y vivre, il faille être comme tous les autres. Encore moins comme une minorité de ces autres, par exemple être comme le petit-bourgeois blanc « civilisé ». S'il y a un seul monde, tous ceux qui y vivent existent comme moi, mais ils ne sont pas comme moi, ils sont différents. Le monde unique est précisément le lieu où existe l'infinité des différences. Le monde est transcendantalement le même parce que les vivants de ce monde sont différents.

Si on demande au contraire à ceux qui vivent dans le monde d'être les mêmes, alors c'est le monde qui se ferme et devient, lui, en tant que monde, différent d'un autre monde. Ce qui prépare inévitablement les séparations, les murs, les contrôles, les mépris, les morts, et finalement la guerre.

On demandera alors: ces infinies différences, est-ce que rien ne les règle? N'y a-t-il
aucune identité qui entre en dialectique avec
ces différences? Il y a un seul monde, très bien.
Mais est-ce que cela veut dire qu'être français,
ou être un Marocain qui vit en France, ou
être corse, ou breton, ou être musulman dans
un pays de tradition chrétienne, est-ce que
tout cela ne veut rien dire devant l'immense
unité différenciante du monde des vivants?
Nous comprenons que le transcendantal du
monde unique mesure et règle les différences.
Mais est-ce que nous devons penser qu'alors
la persistance des identités est un obstacle à
l'unité du monde? C'est une bonne question.
Bien sûr, l'infinité des différences est aussi
l'infinité des identités. Examinons un peu
quelle est la dialectique des identités quand
on affirme l'existence d'un seul monde où un
transcendantal unique mesure à l'infini les
différences.

D'abord, qu'est-ce qu'une identité? La
définition la plus simple est: une identité est
l'ensemble des traits, des propriétés, par le
moyen desquels un individu ou un groupe se
reconnaît comme étant « lui-même ». Mais
qu'est-ce que « lui-même »? C'est ce qui, à
travers toutes les propriétés caractéristiques
de l'identité, demeure plus ou moins invariant dans le tissu infini des différences et de

leurs changements. On peut donc dire qu'une identité est l'ensemble abstrait des propriétés qui soutiennent une invariance. Par exemple, l'identité homosexuelle est faite de tout ce qui se rattache à l'invariance de l'objet possible du désir ; l'identité d'un artiste est ce à quoi on reconnaît l'invariance de son style ; l'identité d'une communauté étrangère dans un pays est ce qui fait que l'on reconnaît son appartenance : la langue, les gestes, le costume, les habitudes alimentaires, etc.

Ainsi définie par invariants l'identité est doublement référée à la différence. Premièrement, l'identité est ce qui est différent du reste (identité statique). Deuxièmement, l'identité est ce qui ne devient pas différent (identité dynamique). À l'arrière-plan, nous avons la grande dialectique philosophique du Même et de l'Autre.

Sous l'hypothèse que nous vivons tous dans le même monde, on peut affirmer le droit d'être le même, de maintenir et de développer son identité. Si l'ouvrier marocain existe comme moi, il peut aussi bien affirmer qu'il a le droit, tout comme moi, de conserver et organiser les propriétés invariantes qui sont les siennes, la religion, la langue maternelle, les façons de jouer ou d'habiter, etc. Il affirme son identité en refusant qu'on lui impose une intégration. Soit la pure et simple dissolution de son identité au profit d'une autre. Parce que cette autre identité, s'il existe dans le monde comme moi, il n'a aucune raison *a priori* de la croire meilleure que la sienne. Cela dit, cette affirmation identitaire a deux aspects bien différents, dans la dialectique du même et de l'autre.

Le premier aspect est le désir que mon devenir reste intérieur au même. Un peu comme quand Nietzsche énonce la fameuse maxime : « Deviens qui tu es. » Il s'agit du développement immanent de l'identité dans une nouvelle situation. L'ouvrier marocain ne va pas abandonner ce qui fait son identité individuelle, familiale ou collective. Mais il va peu à peu approprier tout cela, de façon créatrice, au lieu où il se trouve dans le monde. Il va ainsi inventer ce qu'il est : un ouvrier marocain à Paris. On peut dire qu'il va se créer lui-même comme mouvement subjectif, depuis le paysan marocain du Nord jusqu'à l'ouvrier installé en France. Sans cassure intime. Mais par une dilatation de l'identité.

L'autre façon d'affirmer l'identité est négative. Elle consiste à défendre avec acharnement que je ne suis pas l'autre. Et c'est souvent indispensable, par exemple quand Sarkozy exige une intégration autoritaire. L'ouvrier marocain va affirmer avec force que ses traditions et ses usages ne sont pas ceux du petit-bourgeois européen. Il va même renforcer les traits identitaires religieux ou coutumiers. Il va s'opposer au monde occidental, dont il n'accepte pas la supériorité.

Finalement il y a dans l'identité un double usage de la différence. Un usage affirmatif : le même se maintient dans sa propre puissance différenciante. C'est une création. Un usage négatif : le même se défend contre sa corruption par l'autre. Il veut préserver sa pureté. Toute identité est le jeu dialectique d'un mouvement de création et d'un mouvement de purification. Cette dialectique crée dans les différents lieux du monde des déplacements d'identité et des résiliations de différences, qui composent l'histoire ouverte du lieu lui-même.

Pour inscrire une politique d'émancipation dans le contexte des lieux – les pays, par exemple –, la meilleure méthode est d'affirmer d'abord qu'il y a un seul monde. Et que les conséquences internes de cet axiome sont forcément des actions politiques qui s'appuient sur l'indifférence des différences, ce qui veut dire : la politique est un opérateur pour la consolidation de ce qu'il y a d'universel dans les identités. Je peux très précisément discuter avec un ouvrier marocain ou une mère de famille venue du Mali de ce que nous pouvons faire ensemble pour affirmer que nous existons, les uns comme les autres dans le même monde, quoique sous des identités distinctes.

Par exemple, il y a eu en France un appel, lancé par l'Organisation politique et le Rassemblement des Collectifs des Ouvriers Sans Papiers des Foyers, à faire du 22 mars 2007 une journée d'amitié avec les étrangers. « Amitié », qui peut avoir des résonances suspectes, parce qu'il convoque des formes affaiblies du vieil humanisme, est ici un mot politique. Un ami est tout simplement quelqu'un qui existe en égalité avec vous, dans le même monde que vous. Ce jour-là, les uns et les autres, les nationaux et les étrangers qui vivent ici, ont ouvert leurs identités à leur dimension mobile. Ils se sont rassemblés pour dire leurs différentes façons d'être dans le même monde. D'abord, ils ont demandé ensemble l'abolition des lois[8] de persécution, des lois qui font les murs, les rafles et les expulsions. Les lois qui livrent les étrangers à la police. Ils ont exigé que la présence en France de millions d'étrangers tombe sous l'idée simple qu'ils sont là et qu'ils

---

8. Un point décisif de l'action, en France, en ce qui concerne les ouvriers sans papiers, consiste à exiger sans relâche la pure et simple abrogation de la loi cuisinée par Sarkozy, la loi dite CESEDA (Code de l'Entrée et du Séjour des Étrangers et du Droit d'Asile). Cette loi, parmi tant de lois répressives et illégitimes initiées par Sarkozy et son porte-couteau Hortefeux, est particulièrement scélérate. Une étude détaillée de ce texte infâme a été publiée comme supplément au *Journal Politique*, et on peut se la procurer en utilisant les références de la note 5.

existent comme nous. Il suffit de constater, amicalement, leur existence, et de la régulariser, de la rendre normale. De leur donner les papiers réglementaires, sur la base du travail, des études des enfants, de la maladie grave impossible à soigner en Afrique, des nécessités familiales, des risques politiques. Tout ce qu'on fait très naturellement pour des gens qu'on sait être, sur le fond, dans la même situation existentielle que vous. Des gens du même monde.

Dans ce trajet collectif, nous faisons des « identités » un plan d'épreuve pour l'expérience politique et son universalité. En tant que perspective sur le monde unique, l'identité devient le support de ce que les maoïstes appellent un « échange d'expériences ». Le résident héréditaire apprend du « nomade » comment, venu d'ailleurs, on voit la politique de notre pays et comment on envisage de participer à son changement ; et le résident transitoire, ou récent, apprend de l'héréditaire comment on essaie précisément depuis longtemps de la changer, cette politique, et comment on sait la place essentielle de ceux qui arrivent dans l'avenir de ce combat. Il en sort des idées imprévisiblement nouvelles. Et aussi des formes d'organisation où la différence entre étrangers et nationaux n'est plus un opérateur de séparation, parce qu'elle

est entièrement subordonnée à une conviction commune : il y a un seul monde où nous
existons égalitairement, et, dans ce monde,
des identités peuvent constituer la matière
d'un utile échange d'expériences, pourvu que
nous partagions des actions politiques. Nous
pouvons ainsi récapituler en quatre points
notre trajet de pensée :

1. Le « monde » du capitalisme déchaîné et
des démocraties riches est un faux monde. Ne
reconnaissant l'unité que des produits et des
signes monétaires, il rejette la majorité de l'humanité dans un « autre » monde dévalué, dont
il se sépare par des murailles et par la guerre.
En ce sens, aujourd'hui, il n'y a pas de monde.

2. Donc, affirmer : « Il y a un seul monde »
est un principe d'action, un impératif politique.
Ce principe est aussi celui de l'égalité des existences en tout lieu de ce monde unique.

3. Le principe de l'existence d'un seul
monde ne contredit pas le jeu infini des
identités et des différences. Il entraîne seulement, lorsqu'il devient un axiome de l'action
collective, que les identités subordonnent leur
dimension négative (l'opposition aux autres) à
leur dimension affirmative (le développement
du même).

4. En ce qui concerne l'existence dans
nos pays de milliers d'étrangers, il y a trois
objectifs : s'opposer à l'intégration persécu-

toire ; limiter la fermeture communautaire et les tendances nihilistes qu'elle véhicule ; développer les virtualités universelles des identités. L'articulation concrète de ces trois objectifs définit ce qu'il y a de plus important aujourd'hui en politique.

Sur ce lien intime entre la politique et la question des étrangers, aujourd'hui absolument central, il y a un texte étonnant de Platon. C'est à la fin du livre IX de *La République*. Les jeunes interlocuteurs de Socrate lui disent : « Ce que tu nous as raconté, là, sur la politique, c'est très bien, mais c'est impossible. On ne peut pas le réaliser. » Et Socrate répond : « Oui, dans la Cité où l'on est né, c'est peut-être impossible. Mais ce sera peut-être possible dans une cité étrangère. » Comme si toute politique vraie supposait l'expatriation, l'exil, l'étrangeté. Souvenons-nous de cela quand nous allons faire de la politique avec des étudiants venus d'ailleurs, des ouvriers des foyers, des jeunes des banlieues : Socrate a raison, le fait qu'ils soient étrangers, ou que leur culture soit différente, n'est pas un obstacle. Au contraire ! La réalisation d'une politique vraie en un lieu de ce monde unique que nous proclamons a absolument besoin, pour sa possibilité même, de ceux qui viennent d'ailleurs.

Un premier ministre socialiste français a dit, au début des années quatre-vingt, se faisant le porte-voix « civilisé » de Le Pen : « Les immigrés sont un problème. » Nous devons renverser ce jugement et dire : « Les étrangers sont une chance ! » La masse des ouvriers étrangers et de leurs enfants témoigne, dans nos vieux pays fatigués, de la jeunesse du monde, de son étendue, de son infinie variété. C'est avec eux que s'invente la politique à venir. Sans eux nous sombrerons dans la consommation nihiliste et l'ordre policier.

Que les étrangers nous apprennent au moins à devenir étrangers à nous-mêmes, à nous projeter hors de nous-mêmes, assez pour ne plus être captifs de cette longue histoire occidentale et blanche qui s'achève, et dont nous n'avons plus rien à attendre que la stérilité et la guerre. Contre cette attente catastrophique, sécuritaire et nihiliste, saluons l'étrangeté du matin.

V

Dans ces circonstances, le courage…

Tous les points que j'ai nommés, et les dizaines d'autres que vous inventerez, nous ramènent à ce que j'ai déclaré être la vertu cruciale du moment : le courage. Car l'élévation de l'impuissance à l'impossible c'est, subjectivement, la question du courage. Soit abandonner la règle de survie de l'animal humain, pauvre chose aujourd'hui portée au pinacle sous le nom d'individu, pour tenir un point qui fasse passe d'une procédure de vérité.

Dans le *Séminaire* de Lacan, livre I, il y a un passage que j'ai toujours beaucoup aimé, où il demande si la cure analytique ne devrait pas se terminer par de grandes discussions dialectiques sur le courage et la justice. Comme, dit-il, dans les dialogues de Platon. C'est très frappant, cette référence à Platon, au moment d'en venir aux buts ultimes de la cure. Le courage est convoqué dans une connexion directe au processus d'élévation de l'impuissance à l'impossible. Ce qui suppose qu'on définisse à nouveaux frais le courage.

Qu'est-ce que le courage ? Lisez le merveilleux dialogue de Platon, le *Lachès*, dialogue précisément consacré au courage. On interroge sur ce point un spécialiste, un général. Le général, c'est lui qui s'appelle Lachès, répond en substance : « Le courage c'est quand je vois l'ennemi et que je cours vers lui pour combattre. » Socrate n'est pas très satisfait, bien sûr. Il morigène doucement le général : « C'est un bel exemple de courage, mais un exemple n'est pas une définition. » Et le dialogue se poursuit, tortueux comme toujours, examinant les notions très difficiles de « danger » et de « témérité », et ne parvenant qu'à éliminer quelques fausses pistes.

Courant les mêmes risques que le général Lachès, je vais donner ma définition du courage. D'abord, je vais lui conserver son statut de vertu. Après tout, ce que nous cherchons, c'est une morale, une morale provisoire pour n'être ni déprimés ni rats par gros temps sarkozyen. Nous voulons savoir comment être dignes, vertueux, gardiens de l'avenir des vérités, dans cette sale passe.

Alors je définis le courage comme la vertu qui se manifeste par l'endurance dans l'impossible. Il ne s'agit pas seulement de rencontrer l'impossible, de l'expérimenter. Car nous n'avons encore là que l'héroïsme, un moment d'héroïsme. Or, l'héroïsme est plus facile que le courage, au bout du compte. L'héroïsme c'est quand on fait face à l'impossible. Il a toujours été représenté comme une posture, éventuellement sublime, parce que c'est le moment où l'on se tourne vers l'impossible, c'est-à-dire vers le réel requis, et qu'on lui fait face. Le courage est distinct de l'héroïsme parce qu'il est une vertu, et non un moment ou une posture. Il est une vertu qui se construit. Comprenons que, pour nous autres, matérialistes de l'événement et de l'exception, une vertu ce n'est pas quelque chose qu'on a déjà, une sorte de disposition, qui fait qu'il y a, par exemple, des courageux et des lâches. Une vertu se manifeste dans des pratiques qui construisent un temps particulier, sans égard aux lois du monde et sans égard aux opinions qui supportent ces lois. Si l'héroïsme est la figure subjective du faire-face à l'impossible, le courage est la vertu d'endurance dans l'impossible. Le courage n'est pas le point, mais la tenue du point. Ce qui demande du courage est de se tenir dans une durée différente de la durée imposée par la loi du monde. La matière première du courage, c'est le temps.

On peut dire cela d'une façon qui paraît particulièrement bête : le courage, c'est de ne pas être trop vite découragé. Il faudrait écrire dé-couragé, et entendre le courage comme une vertu exclusivement active dans le temps :

le courage, c'est le couragement, que défait le
dé-couragement. Nos amis les ouvriers venus
d'Afrique le disent très clairement dans leur
langue inventée, aussi rigoureuse que savou-
reuse. Un des buts du travail politique, selon
eux, c'est de « courager » les gens. Mais on
doit aussi reconnaître que lorsque la situation
générale est particulièrement mauvaise, par
exemple après l'élection de Sarkozy, beaucoup de ceux qu'ils connaissent « ne sont
pas couragés ». La vertu de courage, ils le
savent dans l'action politique organisée, n'est
pas un état, c'est ce qui traverse quelqu'un,
le « courage » vigoureusement. En somme,
comme toute vertu véritable, le courage est un
verbe plutôt qu'un nom.

Après l'élection de Sarkozy, le courage est
requis pour se sortir de l'impuissance qu'atteste
l'affect dépressif. Mais attention ! Le courage
ne peut pas être le courage de recommencer,
de reconstruire ce qui était. Le courage de
continuer à être « couragé » n'est aucunement
réductible au courage de conserver ce qui fut
défait. La « reconstruction de la gauche », la
« réforme du parti socialiste », très peu pour
nous ! Rien de mieux pour ne pas être du tout
« couragés ». Toute répétition dé-courage.

Sur ce point, il faut examiner de près la
dialectique du courage. Et d'abord rappeler
que l'envoi du courage comporte toujours

une dose d'héroïsme. Il faut bien d'abord se tourner vers un point. Il faut accepter héroïquement de dissoudre l'individu dans un face-à-face avec le point à tenir. Il y a là un élément héroïque. Pas nécessairement un héroïsme grandiose, à l'allure guerrière (bien que, parfois, il le faille aussi). Mais au minimum, il faut se tourner face au point d'exception, il faut accepter ce retournement, qui nous dérobe aux intérêts pressants de notre animalité individuelle. Ce retournement par lequel l'individu se désindividualise, c'est sans doute ce que Platon appelle la « conversion ». La conversion dialectique, telle qu'il l'entend, nous détourne en effet de la réalité pour nous mettre face à face avec ce réel que Platon nomme « Idée ». Et cette conversion, quoique entièrement rationnelle, est héroïque au sens où elle s'inscrit comme rupture dans le tissu du temps de la réalité. En ce sens, il n'y a pas de courage qui soit la vertu de réinstallation ou de répétition. Le courage n'est jamais le courage de recommencer comme avant.

J'ai été frappé par le gros titre du magazine *Marianne* juste après l'élection de l'homme aux rats : « N'ayez pas peur ! » Cela m'a beaucoup intéressé. C'est un titre légitime à sa manière, il énonce la peur comme élément générique de la situation et semble en appeler au courage. Mais le contenu donné par *Marianne* au courage n'est comme d'habitude que celui de construire enfin la gauche, la vraie, ce serpent de mer. Il va falloir, dit la décourageante raison répétitive de *Marianne*, d'une part, liquider les idées libertaires (entendons Mai 68, point où les « républicains » de *Marianne* ressemblent furieusement aux nantis qui gouvernent et à leurs rats) et, d'autre part, ne pas lâcher, tenir, déblayer, rebâtir ! Mais le courage ce n'est pas cela, être buté sur la chose, remonter la pente comme Sisyphe. Le courage au sens où je l'entends ici s'origine d'une conversion héroïque, il se tourne vers un point qui n'était pas, vers un réel tissé d'impossible. Le courage commence en un point, par le retournement héroïque qui cisaille les opinions et ne tolère aucune nostalgie, si même, dans son essence, le courage est la tenue disciplinée des conséquences du face-à-face avec le point. Or, quand quelque chose commence en un point, il faut accepter de ne pas aussitôt le mesurer à la situation globale. Quand vous constituez une durée séparée, qui s'origine en un point, vous n'êtes pas dans la confrontation immédiate de cette localisation avec la situation globale.

Le coup reçu, sous la forme de l'élection de Sarkozy, est de nature globale, il concerne l'État, c'est-à-dire ce que j'appelle l'état de la situation. Il est si global qu'il peut rester assez longtemps indistinct. On ne sait pas encore quels sont ses ingrédients les plus significatifs, quelles sont ses localisations prioritaires, comment ça va se passer, etc. Il y a simplement un sentiment de coup reçu et d'impuissance. À l'échelle de la situation prise globalement, vous n'avez pour l'instant aucune espèce possible de cure de cette impuissance. Car la prétendue réponse globale, nous la connaissons, c'est la vieille rengaine de la « reconstruction de la gauche ». Cela revient à retourner aux mœurs anciennes, à tenter de rechaper le pneu crevé des vieilles catégories parlementaires, et donc à préparer la réitération sans courage des circonstances mêmes qui provoquent l'impuissance.

Nous avons là une grande loi de la morale provisoire : lorsqu'on reçoit un coup global, le courage qui y répond est local. C'est en un point que vous allez reconstruire la possibilité de vivre sans perdre votre âme dans les effets dépressifs du coup reçu. Ce qui nous conduit à une autre définition du courage, ou plutôt du sens de son action : le courage oriente localement dans la désorientation globale.

On peut décrire ainsi la situation subjective de notre pays : la désorientation des esprits, facteur d'impuissance, chemine de longue date, au moins depuis Mitterrand, savant organisateur de la confusion. Mais avec l'élection de Sarkozy, le ralliement des rats et l'inertie de tous, elle a enfin trouvé son symbole, les formes de rupture qui en font désormais la loi de la situation. Dans ces conditions, l'impératif est de s'orienter localement, point par point, de telle sorte que soit reconstitué le courage.

Dans les circonstances qui sont les nôtres, le courage local fait trouée dans une disposition globale dont Sarkozy n'est que le nom, le nom d'État. Mais laquelle?

VI

Le « pétainisme »
comme transcendantal de la France

Nous cherchons un élément analytique concernant la nature particulière de la désorientation des consciences, désorientation dont Sarkozy est le nom. Je voudrais sur ce point reprendre plus en détail une hypothèse déjà présentée, celle qui énonce que cette désorientation, saisie dans sa dimension globale, son historicité, son intelligibilité, impose de remonter jusqu'à ce qu'on doit nommer son transcendantal pétainiste.

Précisons la nature intellectuelle de cette hypothèse. Je ne suis pas en train de dire que les circonstances ressemblent à la défaite de 1940, et que Sarkozy ressemble à Pétain. Pas du tout. Je dis que la subjectivité de masse qui porte Sarkozy au pouvoir, et soutient son action, trouve ses racines inconscientes, historico-nationales, dans le pétainisme. C'est ce que j'appelle un transcendantal : quelque chose qui, sans apparaître à la surface (d'où que notre situation ne « ressemble » pas à la

séquence du règne de Pétain), configure de
loin, donne la loi et son ordre, à une disposition collective. J'ai déjà utilisé ce concept
(*cf.* aussi note 8) pour éclairer ce qu'il faut
entendre par l'énoncé prescriptif : « Il existe
un seul monde. »

Dans le cas de notre pays, nommer ce transcendantal « pétainiste » évite de le nommer, soit,
faiblement, antidémocratique ou bonapartiste
(ce sont des qualifications « de gauche ») ; soit
de le qualifier de fasciste, ou de pré-fasciste, ce
qui serait excessif, ultra-gauche.

Je propose de dire que « pétainiste » est le
transcendantal, en France, des formes étati-
sées et catastrophiques de la désorientation.
Nous avons une désorientation majeure, elle se
présente comme un tournant dans la situation,
elle est solennellement active à la tête de l'État.
De ce point de vue, encore formel, il y a une
tradition nationale du pétainisme qui est bien
antérieure à Pétain. Le pétainisme commence
en réalité en France avec la Restauration de
1815. Un gouvernement post-révolutionnaire
se réinstalle dans les fourgons de l'étranger,
avec l'appui vigoureux des émigrés, des classes
renversées, des traîtres et opportunistes de
tout acabit, et le consentement d'un peuple
fatigué. Il déclare qu'il restaure l'ordre et la
moralité publics, contre l'anarchie sanglante
des révolutions. Cette matrice, typiquement

française, insiste dans notre histoire. En 1940, on retrouve la figure catastrophique de la défaite militaire, comme prétexte pour une désorientation majeure : comme, par exemple, un gouvernement qui n'a à la bouche que la « nation », mais qui est installé par l'étranger ; des oligarques corrompus jusqu'à l'os qui se présentent comme ceux qui vont sortir le pays d'une grande crise morale ; un aventurier, roi cacochyme, vieux militaire ou politicien retors, toujours homme de main des grandes fortunes, qui se présente comme le vrai détenteur de l'énergie nationale.

N'avons-nous pas aujourd'hui, comme une répétition misérable de ces graves dépressions historiques que la France s'inflige à elle-même, de nombreux traits de ce genre ?

D'abord, dans ce type de situation « pétainiste », la capitulation et la servilité se présentent comme invention, révolution et régénération. Il est tout à fait essentiel que Sarkozy ait fait campagne sur le motif de la rupture. Rupture, profondes réformes, mouvement aussi incessant que celui des moustiques : Sarkozy annonce qu'il va surmonter la crise morale de la France, il va la remettre au travail. C'est quand même formidable de dire aux gens, dans l'état où ils sont, et du haut du costume trois-pièces du maire de Neuilly : « Je vais vous remettre au travail, moi ! » On

dirait une bourgeoise du XIXᵉ siècle s'adres-
sant à sa bonne. Mais non, c'est la rupture,
c'est le renouveau. Le contenu est évidemment l'obéissance sans réserves aux exigences
des potentats du capitalisme mondialisé. La
situation militaire est l'affaire des Américains,
la situation intérieure celle des grands financiers, etc. On ne frappera que les faibles, les
pauvres, les étrangers. La « rupture » est en
réalité une politique de la courbette inin-
terrompue, qui va se présenter comme une
politique de la régénération nationale. C'est là
une désorientation typiquement pétainiste : la
servilité devant les puissants du jour (le vainqueur nazi et ses complices d'extrême droite)
est nommée par le Chef la « révolution nationale » ! Au comble de la capitulation et de la
servitude consentie, on parle de redressement
moral et d'avenir régénéré. Pour trouver plus
désorientant il faut se lever de bonne heure.
C'est une figure qui, je crois, nous est propre,
dont je ne vois pas tellement d'équivalents
dans les autres nations, du moins parmi celles
qui prétendent à un rôle majeur sur la scène
du monde, comme c'est évidemment le cas
pour la France dans les années quarante.
Cette singularité n'est certes pas un motif de
fierté patriotique...

Le deuxième critère du pétainisme, c'est
le motif de la « crise », de la « crise morale »,

qui justifie les mesures prises au nom de la régénération. Il y a un abaissement national, une décadence menaçante, auxquels on va remédier immédiatement. Cet abaissement (on aime dire aujourd'hui ce « déclin ») est imputable à une crise morale : le discernement du bien et du mal, le travail, la famille, la patrie sont en crise. Puisque cette crise est morale, le redressement ne suppose d'aucune façon l'énergie d'une mobilisation politique des gens, mobilisation dont on va au contraire se garder le plus efficacement qu'on pourra, avec de draconiennes mesures de police. La morale vient là, comme elle fait toujours, à la place de la politique, et contre la politique, tout spécialement la politique faite directement par les gens du peuple. On va en appeler au redressement moral, au travail, à l'économie familiale, terminologie exactement pétainiste, qui permet de dire que l'État, lui, est chargé de tout, puisque les gens sont en état de crise morale. Dans les ténèbres de la crise, il faut seulement honorer les individus qui font, à l'appel de l'État et de son chef, de méritoires efforts contre le déclin. Par exemple, en se faisant une joie de travailler soixante heures par semaine. Ceux-là, on leur donnera une médaille en chocolat. Comme ne cesse de le dire l'homme aux rats, il faut « récompenser le mérite ».

De cette dialectique de la morale et de la politique, typiquement pétainiste, il faut dire qu'elle a été préparée de longue date par tous ceux qui, depuis les « nouveaux philosophes », à la fin des années soixante-dix, ont « moralisé » le jugement historique, et substitué à l'opposition fondamentale des politiques d'émancipation égalitaire et des politiques de conservation inégalitaire, l'opposition purement morale des États despotiques et cruels et des États de droit, sans du reste nous expliquer l'origine des gigantesques massacres commis, sur la planète entière, en un siècle et demi, par ces États « de droit ». C'est que le but de cette moralisation est en réalité politique. Il s'agit de dire que l'état du pays n'est aucunement le résultat de l'action des grands serviteurs du capital et de leur clientèle médiatique et politicienne, mais la faute des gens, de la « moralité » des citoyens quelconques. Sarkozy nous explique que, si nos concitoyens sont plongés dans une crise morale qui conduit le pays au déclin, c'est, qui l'aurait deviné, à cause de Mai 68. Or Mai 68, ce sont bien les gens, les jeunes étudiants, les ouvriers, les intellectuels, qui l'ont fait. Et si Mai 68 hante encore Sarkozy et ses rats, c'est parce qu'ils supposent, non sans raison, que les gens continuent à y croire plus ou moins, ou à s'y référer. C'est pourquoi ce sont les gens, notamment les jeunes des quartiers populaires et les ouvriers de provenance étrangère, qui sont, selon l'homme aux rats, les agents d'une crise morale grave. C'est la faute de ces pelés, de ces galeux, si le pays décline, s'il va s'abîmer d'un moment à l'autre. Heureusement, Sarkozy et l'État veillent. Ils vont se charger de l'ensemble de l'opération de régénération et de rupture. La « crise morale », c'est toujours un énoncé qui vise à donner les pleins pouvoirs à l'État, en arguant de l'irresponsabilité des gouvernés, notamment des plus démunis et des plus faibles. Comment réparer une crise morale par des moyens étatiques, ce n'est sans doute pas très clair. Ce qu'il y a de sûr, c'est qu'il faut prendre des mesures énergiques, et ça, de toute façon, on va les prendre. C'est tout ce qui restera de ce fatras moralisant : police, justice, contrôle, expulsions, lois scélérates et système pénitentiaire. Avec, bien entendu, l'enrichissement des riches, qui est le Bien par excellence.

Troisième critère du pétainisme : la fonction paradigmatique des expériences étrangères. L'exemple du redressement vient toujours de l'étranger. Les étrangers font mieux que nous, ils ont déjà redressé depuis longtemps. Ils ont surmonté sans faiblesse la crise morale. Dans les « bons » pays étrangers, on leur a fait leur fête, aux démoralisateurs ! À nous de faire enfin de même. Pour Pétain, les bons étrangers, ceux qui ont mis au pas de façon radicale les fauteurs de crise morale et de décadence – Juifs, communistes, métèques, intellectuels progressistes, etc. –, ce sont les fascistes. L'Allemagne de Hitler s'est redressée, l'Italie de Mussolini et l'Espagne de Franco se sont redressées, et nous, à l'exemple de ces grands modèles, il nous faut nous redresser. C'est absolument obsédant, cette référence au redressement de l'étranger comme matrice de notre redressement. Il y a là une esthétique politique, une théorie du modèle et de l'imitation. Tel le démiurge de Platon, l'État doit modeler la société les yeux fixés sur les modèles fascistes, pour la tirer de sa terrible crise morale. L'avantage, pour l'État salvateur et son chef infatigable, de cette théorie du modèle, sur laquelle Lacoue-Labarthe a écrit des choses remarquables[9], de cette esthétique du modèle (dont nous avons évidemment aujourd'hui des versions misérables), c'est qu'il s'agit d'une reconfiguration passive, qui n'en appelle nullement à l'énergie de ses

---

9. Lacoue-Labarthe est mort il y a quelques mois, et son absence se fait cruellement sentir, dans ces temps difficiles. Relisons *L'Imitation des modernes* (Galilée, 1986), ce livre admirable, où la fonction idéologique des modèles et de leur reproduction est analysée en détail, dans sa fonction de suture, toujours préfasciste, entre la politique et l'art.

acteurs. C'est bien tout le rôle des constantes invocations, par nos nouveaux réactionnaires, des remarquables mérites des universités et de l'économie sous Bush, des magnifiques réformes de Blair, voire de l'abnégation des ouvriers chinois, qui travaillent douze heures par jour pour presque rien. « Encore un effort, Français, si vous voulez être modernes comme nos voisins et rivaux. » Le modèle étranger signifie : on ne sort de la « crise morale » que si l'on se donne de nouveaux et puissants moyens, de police et de répression, de restriction sévère du droit de grève, de compression des dépenses publiques, et autres constantes des amis de l'ordre, pour faire suer le burnous à la masse des gens ordinaires. Alors et alors seulement, les riches étant devenus richissimes, et les pauvres s'étant paupérisés, on pourra fêter le retour de la moralité publique.

Une quatrième caractéristique, très importante, du dispositif pétainiste, est la propagande selon laquelle, cristallisant et aggravant la crise morale, il s'est passé, il y a peu de temps, quelque chose de néfaste. C'est un point capital. La propagande pétainiste consiste largement à dire qu'à l'origine de la crise morale et du déclin, il y a un événement désastreux, toujours lié à des revendications populaires. Dans le cas des pétainistes de la Restauration, en 1815, c'était évidemment la Révolution, la

Terreur, la décapitation du roi. Dans le cas du pétainisme de Pétain, ce désastre est le Front populaire. Le gouvernement Léon Blum, c'était quatre ans avant, et de même, surtout, les grandes grèves avec occupation des usines. Ces désordres inqualifiables avaient flanqué une trouille mémorable aux possédants de ce pays. Ils en tremblaient encore. Ils préféraient de loin les Allemands, les nazis, n'importe qui, au Front populaire. D'où le propos selon lequel le Front populaire est l'origine et le symbole de la grave crise morale qui exige, avec l'aide bienvenue de l'occupant nazi, une révolution nationale. Pour notre président enfin, Mai 68 est responsable d'une crise des valeurs, qui nécessite également une reconfiguration de tout notre malheureux pays, en voie de désintégration accélérée, sur le modèle de Bush ou de Blair. Dans le pétainisme il y a un élément historique qui consiste à lier deux événements, un événement négatif, généralement de structure ouvrière et populaire, et un événement positif, de structure étatique, électorale et/ou militaire. Le pétainisme, c'est une de ses forces, propose une lisibilité simplifiée de l'histoire. Pour Sarkozy, cette lisibilité couvre une arche assez grande, quarante ans d'histoire, du comble de la décadence, Mai 68, au comble du redressement, l'homme aux rats en personne. C'est une source de légitimité pour le nouveau gouvernement, car toute légitimité de ce type est un lien entre l'État et l'histoire. Le gouvernement se représente lui-même et se fait représenter comme un acteur historique de première importance puisqu'il est celui qui, enfin, prend la mesure du redressement nécessaire par rapport à l'événement néfaste inaugural.

Le cinquième élément est racialiste. Il se dit sous Pétain de façon tout à fait claire : en finir avec les Juifs, les métèques, les nègres… Il se dit aujourd'hui, de façon plus cauteleuse, mais enfin une oreille exercée l'entend : « Nous ne sommes pas (sous-entendu : contrairement à d'autres) une race inférieure. La France n'a de leçons à recevoir de personne, tout ce qu'a fait la France a toujours été bien, et un vrai Français n'a pas à douter de la légitimité des actions de son pays. » Sarkozy est allé déjà loin dans cette direction, n'hésitant pas à nous comparer très favorablement aux Africains. Il leur a fait savoir qu'ils étaient loin de nous valoir, et que, par conséquent, s'ils sont misérables chez eux, comme c'est de leur faute, ils doivent y rester. Nous, Français de France, nous avons nos propres tâches, nos propres valeurs, notre propre destinée, notre propre existence, et c'est à cela que nous dévouerons notre effort. Bien sûr, il nous faut des balayeurs, des éboueurs, des terrassiers… On les triera sur le volet, et ils sont priés de ne pas faire de tapage, ruminant, mal intégrés qu'ils sont, leur évidente infériorité. Comme dans le cas Pétain, il s'est trouvé une clique intellectuelle pour applaudir ces rodomontades racialistes de l'homme aux rats.

Récapitulons les cinq traits formels qui définissent le transcendantal pétainiste Premièrement, la désorientation obtenue par le renversement explicite du contenu réel de l'action de l'État : révolution là où il y a réaction noire, régénération quand on capitule, nouvelle liberté quand on est au comble de la servilité. Deuxièmement, le thème antipolitique de la crise morale, qui accable le peuple, et donne les mains libres à l'État pour organiser de nouvelles formes de répression. Troisièmement, le motif de l'événement néfaste, origine et symbole du déclin moral, événement qui est toujours un épisode marquant des tentatives politiques ouvrières et populaires (Révolution dans sa phase robespierriste, Commune de Paris, Front populaire, Mai 68). Quatrièmement, la fonction paradigmatique, la valeur de modèle du redressement, des figures les plus marquantes de l'extrême réaction à l'étranger. Cinquièmement, les différentes variantes de la supériorité de notre civilisation sur des populations étrangères (les Africains par exemple), mais aussi sur des

« minorités » internes (les jeunes Arabes, par exemple).

Au vu de ces critères, nous dirons sans hésiter que Sarkozy relève du transcendantal pétainiste.

VII

L'INCORRUPTIBLE

Que va-t-il se passer, avec ce pétainisme soft ? On va commencer par verrouiller la protection des fortunes et de leur transmission héréditaire : suppression des droits de succession, moins, voire presque pas, d'impôts sur les très hauts revenus et sur les propriétés, élan donné aux spéculations en tous genres. Après quelques ronds de jambe estivaux et effets de manche en direction des débris de la gauche, s'ouvrira une guerre, insidieuse et féroce, contre le peuple, et particulièrement contre les familles et les gens les plus exposés. Que le peuple se tienne tranquille, à sa place. Que chacun mérite la place qu'il a. L'apologie du mérite, c'est ça et rien d'autre : chacun n'a que ce qu'il mérite, s'il est là, au fond du trou, c'est qu'il mérite d'être là. Et cela avec beaucoup de déploiement policier à l'intérieur, et d'obscures tractations, louches transactions et affaires militaires à l'extérieur.

Cet usage constant des « affaires », des diplomaties secrètes et des coups tordus, cette ostentation, aussi, des pouvoirs de la fortune, de l'univers potentiellement illimité qu'ouvre la richesse, tout cela compose un des traits les plus frappants de Sarkozy : il pense, visiblement, que tout le monde est corruptible. Le moment est venu, et il s'en attribue la gloire, de montrer que la corruption n'est pas un vice marginal, mais qu'elle est au cœur de notre univers. Acheter, être acheté, prébendes, postes, yachts, cadeaux somptuaires ? Qu'avez-vous là-contre, bonnes gens ? Avec Sarkozy s'ouvre une nouvelle page des liens entre politique et corruption : l'éradication de toute idée qu'on puisse être, c'était le nom dans le peuple de Robespierre, « l'Incorruptible ». Mais de quelle corruption s'agit-il ?

La corruption[10] est un thème très classique de la propagande antiparlementaire, notamment d'extrême droite : scandale de Panama et affaire Stavisky sous la Troisième République, trafic des piastres sous la Quatrième, et, sous la Cinquième, Tapie, Noir, Dumas, et tant d'autres, parmi lesquels, peut-être, Chirac en personne. « Tous pourris » est le résumé de ce genre de mise en scène médiatique des liens entre l'argent et les politiciens. Bien entendu,

---

10. Cette section sur l'essence de la corruption dans les régimes représentatifs est le développement d'un article commandé par *Le Nouvel Observateur*, et que celui-ci n'a pas publié.

ce n'est pas du tout dans ce registre que je parle de corruption, pas plus que n'en parlait Robespierre. Ce n'est pas lui non plus qui impressionne durablement l'opinion, même électorale. On ne compte plus les maires, conseillers généraux et notables divers qui, accusés ou soupçonnés de corruption en ce sens restreint, ont été triomphalement réélus, le couple Balkany en est l'exemple canonique. En 2002, il était tentant d'opposer Jospin-le-vertueux à Chirac-le-(supposé)-corrompu. Ni cet éloge ni cette indignité n'ont empêché qu'au premier tour de l'élection présidentielle, ils aient été l'un et l'autre fort déconfits. Sans doute faut-il prendre les choses de plus loin. Et de plus haut.

Nous sommes en 1793, les périls assaillent la Révolution. Saint-Just demande : « Que veulent ceux qui n'acceptent ni la Terreur ni la Vertu ? » Question intimidante, à laquelle cependant la pratique des thermidoriens donne une réponse claire : ils veulent que soit admis comme normal un certain degré de corruption. Contre la dictature révolutionnaire, ils veulent « la liberté », ce qui veut dire : le droit de faire des affaires, et de mêler ces affaires à celles de l'État. Ils s'élèvent donc aussi bien contre la répression « terroriste » et « liberticide » des combines louches que contre l'obliga-tion vertueuse d'avoir à ne considérer que le bien public. Déjà Montesquieu notait que la démocratie, accordant à tous une parcelle du pouvoir, est exposée à la confusion permanente des intérêts privés et du bien public. Il faisait de la vertu la disposition obligée des gouvernements de ce type. Mandatés sans autre garantie que le suffrage, les gouvernants doivent en quelque sorte s'oublier eux-mêmes et réprimer jusqu'à leurs propres penchants à n'exercer le pouvoir qu'en fonction de leur personnelle jouissance, ou de la jouissance des milieux dominants (les riches, en règle générale).

L'idée remonte en fait à Platon. Dans sa critique radicale du régime démocratique, Platon note qu'un tel régime considère que ce sur quoi une politique doit se régler est l'anarchie des désirs matériels. Et que, en conséquence, un gouvernement démocratique est inapte au service de quelque Idée vraie que ce soit, parce que si la puissance publique est au service des désirs et de leur satisfaction, au service, finalement, de l'économie au sens large du mot, elle n'obéit qu'à deux critères : la richesse, qui donne le moyen abstrait le plus stable de cette satisfaction, et l'opinion, qui décide des objets du désir et de la force intime avec laquelle on croit devoir se les approprier.

Les révolutionnaires français, qui sont républicains et non démocrates, appellent

« corruption » l'asservissement de la puissance gouvernementale au cours des affaires. Nous sommes aujourd'hui si persuadés qu'en effet, les principaux objectifs d'un gouvernement sont la croissance économique, le niveau de vie, l'abondance marchande, le mouvement des actions à la hausse, l'afflux des capitaux et la sempiternelle prospérité des riches, que nous ne comprenons pas vraiment ce que les révolutionnaires voulaient entendre par « corruption ». Non pas tant le fait que tel ou tel s'enrichisse en profitant de sa position de pouvoir, que la conception générale, le fait d'opinion, qui consiste à tenir que l'enrichissement, collectif ou privé, est le but naturel des actions politiques. « Corruption », cela se dira essentiellement du fameux mot d'ordre de Guizot : « Enrichissez-vous ! »

Mais en avons-nous un autre aujourd'hui ? N'est-il pas évident pour tout le monde que l'état de l'économie détermine l'humeur électorale, et que donc tout se joue donc dans la capacité à au moins faire croire au citoyen quelconque que les choses iront mieux du côté des affaires, petites et grandes, s'il vote ou revote pour vous ? Et donc que la politique n'est jamais que ce qui rencontre *l'intérêt* des sujets ?

La corruption, de ce point de vue, n'est pas ce qui menace la démocratie telle qu'elle fonctionne. Elle est sa véritable essence. Que les hommes politiques soient ou non personnellement corrompus au sens ordinaire du mot n'a presque aucune influence sur cette corruption essentielle. D'où que Jospin et Chirac peuvent être renvoyés dos à dos.

Marx remarquait, dès les débuts de la démocratie représentative en Europe, qu'en vérité les gouvernements ainsi désignés par le suffrage n'étaient que des fondés de pouvoir du Capital. Ils l'étaient pourtant bien moins qu'aujourd'hui ! C'est que si la démocratie est représentation, elle l'est d'abord du système général qui en porte les formes. Autrement dit : la démocratie électorale n'est représentative qu'autant qu'elle est d'abord représentation consensuelle du capitalisme, renommé aujourd'hui « économie de marché ». Telle est sa corruption de principe, et ce n'est pas pour rien qu'à une telle « démocratie », Marx, ce penseur humaniste, ce philosophe des Lumières, pensait ne pouvoir opposer qu'une dictature transitoire, qu'il appelait la dictature du prolétariat. Le mot était fort, mais il éclairait les chicanes de la dialectique entre représentation et corruption.

Au vrai, c'est la définition de la démocratie qui pose problème. Tant qu'on sera persuadé, comme les thermidoriens et leurs descendants libéraux, qu'elle réside dans le libre jeu des intérêts de groupes ou d'individus déterminés, on la verra s'abîmer, lentement ou promptement selon les époques, dans une corruption sans espoir. C'est que la démocratie véritable, s'il faut conserver, ce que je crois[11], ce concept, est tout autre chose. Elle est l'égalité devant l'Idée, devant l'Idée politique. Par exemple, pendant longtemps, l'Idée révolutionnaire, ou communiste. C'est la ruine de cette Idée qui identifie la « démocratie » à la corruption générale.

L'ennemi de la démocratie n'a été le despotisme du parti unique (le mal nommé « totalitarisme ») qu'autant que ce despotisme accomplissait la fin d'une première séquence de l'Idée communiste. La seule vraie question est d'ouvrir une deuxième séquence de cette Idée, qui la fera prévaloir sur le jeu des intérêts par d'autres moyens que le terrorisme bureaucratique. Une nouvelle définition, et une nouvelle pratique, en somme, de ce qui fut nommé « dictature » (du prolétariat). Ou

---

11. Je suis partisan de conserver un usage positif du mot « démocratie », plutôt que de l'abandonner entièrement à sa prostitution par le capitalo-parlementarisme. Je me suis expliqué sur ce point dans un chapitre de mon livre *Abrégé de métapolitique* (Le Seuil, 1998). De façon générale, je préfère la lutte pour une nouvelle appropriation des noms à la pure et simple création de nouveaux noms, bien que cette dernière soit souvent requise. C'est pourquoi aussi je conserve sans hésiter, en dépit des sombres expériences du siècle dernier, le beau mot de « communisme ».

encore, c'est la même chose : un nouvel usage du mot « Vertu ».

Ce n'est pas – encore – le chemin qui se présente à nous le plus visiblement ! Avec Sarkozy, la nécessité de la corruption en son sens intellectuel, soit l'harmonie qu'on suppose entre les intérêts privés et le bien public, cesse de devoir se dissimuler, et cherche à ce qu'on puisse même en faire étalage. Nous sommes loin de Mitterrand, lequel, en réalité plein d'indulgence pour la corruption, dont il n'ignorait pas qu'elle était, dans notre monde tel qu'il est, nécessaire, n'en recommandait pas moins à Tapie de se méfier, car, disait-il, « les Français n'aiment pas l'argent ». Qu'on puisse et qu'on doive « aimer l'argent », ne plus tenir cet amour pour un secret honteux, vaincre la conscience malheureuse de la nature excrémentielle des signes monétaires, si bien pensée par Freud, voilà le combat principal du grand Sarkozy. C'est aussi que l'homme aux rats, le cas de Freud, tel que vous devez le lire dans les fameuses *Cinq psychanalyses*, est une affaire anale.

« *Dans un si grand malheur, que vous reste-t-il ?* » demande sa confidente à la Médée de Corneille, laquelle répond, et c'est magnifique : « *Moi ! Moi dis-je, et c'est assez.* » Entendons qu'il lui reste le courage de décider de sa propre existence. Je propose l'idée suivante :

si « pétainisme » désigne le transcendantal des abjections possibles de notre pays, l'invariant logique de sa corruption, tout courage est *le courage de ne pas être pétainiste*. C'est la définition la plus restreinte. Après tout, c'est la définition du courage de la Résistance proprement dite, avant 1944 en tout cas. Le choix d'entrer dans la Résistance était le choix du point réel que le courage devait tenir, dans un élément qui était une complète opposition au pétainisme. Être contre le nazisme et l'occupation ne suffisait pas pour entrer en Résistance. Il y fallait le dégoût du pétainisme, infection proprement nationale de la subjectivité.

Notons cependant que le pétainisme n'est aucunement réductible au personnel dirigeant de la collaboration entre 1940 et 1944. Comme vous le voyez par les définitions que j'en ai données, le pétainisme est une forme subjective de masse. Si l'on veut définir de façon positive ce qui résiste à la contagion passive par cette forme, il ne suffit pas de donner la définition négative qu'on donne généralement de la Résistance (elle s'oppose au nazisme et à ses complices pétainistes). Il faut plutôt dire, affirmativement : le courage, qui est celui de la Résistance, c'est *tenir un point absolument hétérogène au pétainisme*. Et c'est bien la maxime que je vous ai proposée dans le contexte de l'élection de Sarkozy.

Pour soutenir cette tension, il est intéressant de contredire explicitement la doctrine pétainiste de l'événement néfaste, qu'ils déclarent être à l'origine de notre décadence, le Front populaire pour Pétain, Mai 68 pour Sarkozy. Quiconque tient un point hétérogène au consensus pétainiste doit disposer, à titre d'allégorie personnelle, du recours public à des événements fastes. Il importe que l'immanence subjective ne soit pas celle, agressive, policière et morose, qui prétend réparer les conséquences d'un événement néfaste, mais celle qui affirme être créativement fidèle à quelques événements fastes de la vie personnelle ou politique. Tel amour ravageur, par exemple, ou la destruction de l'esclavage par l'insurrection noire à Haïti en 1793, ou le premier émoi délivré par la lumineuse démonstration, enfin comprise, d'un théorème mathématique très difficile. Ou la contemplation bouleversante d'un tableau abstrait. Ou Mai 68, naturellement. Notre travail, je veux bien qu'on le nomme « résistance », à condition que la maxime de son courage comme les emblèmes événementiels dont il se réclame soient affirmatifs.

Il faut toujours se méfier de quelqu'un dont le drapeau en berne est celui de la décadence, et qui se présente comme celui qui va remonter la pente. Ses intentions ne sont pas pures. Si quelqu'un prétend vraiment être du côté de la création, de l'affirmation et du devenir collectif égalitaire, du côté des vérités, en somme, il doit plutôt se réclamer des vérités qui déjà, et comme au voisinage intemporel de ce qu'il entreprend, nous firent le bonheur d'apparaître en un lieu, dans la force singulière de leur universalité.

Et, bien entendu, ce n'est jamais de l'imitation d'un modèle extérieur que vient le salut. Ces drapeaux ornés des allégories de l'élément faste, c'est nous qui les portons, acceptant cependant que tout autre, échappé du consensus pétainiste, soit au relais de ce transport. Ce fut un des aspects les plus déprimants de la dernière campagne électorale que de voir les deux protagonistes se réclamer de Blair. Il y a une expression chinoise que j'aime beaucoup pour parler de deux personnes qui sont complices d'un mauvais coup. Les Chinois disent : « Oui, ces deux-là ce sont des blaireaux de la même colline. » En définitive, Royal et Sarkozy, comme Blair et Bush, c'étaient des blaireaux de la même colline. Des Blair-eaux.

Négativement, il nous suffira donc de dire : ni rat, ni blaireau.

VIII

L'HYPOTHÈSE COMMUNISTE
DOIT-ELLE ÊTRE ABANDONNÉE ?

Je voudrais pour conclure[12], situer cet épisode Sarkozy, qui tout de même n'est pas une des pages grandioses de l'histoire de France, dans un horizon plus vaste. Disons une sorte de fresque hégélienne de l'histoire mondiale récente. Étant entendu que par histoire « récente », je ne pense pas, comme les journalistes, à la triade Mitterrand-Chirac-Sarkozy, mais au devenir de la politique d'émancipation, ouvrière et populaire, depuis à peu près deux siècles.

Depuis la Révolution française et son écho progressivement universel, depuis les développements les plus radicalement égalitaires de cette révolution – entre les décrets du Comité robespierriste sur le maximum et les théorisations de Babeuf – nous savons (quand je dis « nous », c'est l'humanité abstraite, et le

---

12. Tout le développement sur l'hypothèse communiste était esquissé dans mon séminaire du 13 juin 2007. *Cf.* les références de la note 1.

savoir concerné est le savoir universellement disponible sur les chemins de l'émancipation) que *le communisme est la bonne hypothèse*. En vérité, il n'y en a pas d'autre, en tout cas, je n'en connais pas d'autre. Quiconque abandonne cette hypothèse se résigne à la minute même à l'économie de marché, à la démocratie parlementaire (qui est la forme d'État appropriée au capitalisme), et au caractère inévitable, « naturel », des inégalités les plus monstrueuses.

« Communisme », qu'est-ce à dire ? Comme l'argumente Marx dans les *Manuscrits de 1844*, le communisme est une idée relative au destin de l'humanité générique. Il faut absolument distinguer cet usage du mot, du sens, entièrement usé aujourd'hui, de l'adjectif « communiste » dans les expressions comme « partis communistes », « monde communiste », pour ne rien dire de « État communiste », qui est un oxymore auquel on a prudemment et logiquement préféré l'obscur syntagme « État socialiste ». Même si, comme nous le verrons, ces usages du mot font partie du devenir historique, par étapes, de l'hypothèse.

En son sens générique, « communiste » signifie d'abord négativement, comme on le voit dans le texte canonique, *Manifeste du parti communiste*, que la logique des classes, de la subordination fondamentale des travailleurs réels à une classe dominante, peut être surmontée. Ce dispositif, qui est celui de l'Histoire depuis l'Antiquité, n'est pas inévitable. Par conséquent, le pouvoir oligarchique, cristallisé dans la puissance des États, de ceux qui détiennent la richesse et en organisent la circulation, n'est pas inéluctable. L'hypothèse communiste est qu'une autre organisation collective est praticable, qui éliminera l'inégalité des richesses et même la division du travail : tout un chacun sera un « travailleur polyvalent », et, en particulier, les gens circuleront entre le travail manuel et le travail intellectuel, comme du reste entre la ville et la campagne. L'appropriation privée de richesses monstrueuses, et leur transmission familiale par héritage disparaîtra. L'existence d'un appareil d'État coercitif, militaire et policier, séparé de la société civile, n'apparaîtra plus comme une nécessité évidente. Il y aura, nous dit Marx, tenant ce point pour son apport majeur, après une brève séquence de « dictature du prolétariat » chargée de détruire les restes du vieux monde, une longue séquence de réorganisation, sur la base d'une « libre association » des producteurs et créateurs, laquelle supportera un « dépérissement de l'État ».

« Communisme » ne désigne que cet ensemble très général de représentations intellectuelles. Cet ensemble est l'horizon de toute

initiative, si locale et limitée dans le temps soit-
elle, qui, rompant avec l'ordre des opinions
établies (soit la nécessité des inégalités et de
l'instrument étatique de leur protection),
compose un fragment d'une politique d'émancipation. Il s'agit en somme d'une Idée, pour
parler comme Kant, dont la fonction est régu-
latrice, et non d'un programme. Il est absurde
de qualifier les principes communistes (au
sens que je viens de dire) d'utopie, comme
on le fait si souvent. Ce sont des schèmes
intellectuels, toujours actualisés de façon
différente, et qui servent à produire, entre
différentes politiques, des lignes de démar-
cation. En gros, étant donné une séquence
politique, ou bien elle est compatible avec
ces principes, et elle est émancipatrice au
sens large, ou bien elle s'y oppose, et elle est
réactionnaire. « Communisme » est, en ce
sens, une hypothèse heuristique d'usage très
fréquent dans la polémique, même si le mot
n'apparaît pas. S'il est toujours vrai, comme
l'a dit Sartre, que « tout anticommuniste est
un chien », c'est que toute séquence politique
qui, dans ses principes ou son absence de
tout principe, apparaît formellement contradictoire avec l'hypothèse communiste en son
sens générique, doit être jugée comme s'op-
posant à l'émancipation de l'humanité tout
entière, et donc au destin proprement humain

de l'humanité. Qui n'éclaire pas le devenir de l'humanité par l'hypothèse communiste (quels que soient les mots qu'il emploie, car les mots importent peu) le réduit, en ce qui concerne son devenir collectif, à l'animalité. Comme on sait, le nom contemporain, c'est-à-dire capitaliste, de cette animalité, est : « concurrence ». Soit la guerre des intérêts, et rien d'autre.

En tant qu'Idée pure de l'égalité, l'hypothèse communiste existe à l'état pratique depuis sans doute les débuts de l'existence de l'État. Dès que l'action des masses s'oppose, au nom de la justice égalitaire, à la coercition de l'État, on voit apparaître des rudiments ou des fragments de l'hypothèse communiste. C'est la raison pour laquelle, dans un fascicule dont le titre était *De l'idéologie,* écrit en collaboration avec le regretté François Balmès, et publié en 1976, nous proposions d'identifier des « invariants communistes ». Les révoltes populaires, par exemple celle des esclaves sous la direction de Spartacus, ou celle des paysans allemands sous la direction de Thomas Münzer, sont des exemples de cette existence pratique des invariants communistes.

Cependant, sous la forme explicite que lui donnent certains des penseurs et activistes de la Révolution française, l'hypothèse communiste inaugure la modernité politique. C'est elle qui jette bas les structures mentales de l'Ancien Régime, sans pour autant s'articuler sur les formes politiques « démocratiques » dont la bourgeoisie va faire l'instrument de sa conquête du pouvoir. Ce point est essentiel : dès le début, l'hypothèse communiste ne coïncide nullement avec l'hypothèse « démocratique » qui conduira au parlementarisme contemporain. Elle subsume une autre histoire, d'autres événements. Ce qui, éclairé par l'hypothèse communiste, semble important et créateur est d'une autre nature que ce que sélectionne l'historiographie démocratique bourgeoise. C'est bien pourquoi Marx, donnant ses assises matérialistes à la première grande séquence effective de la politique d'émancipation moderne, d'une part reprend le mot « communisme », d'autre part s'écarte de tout « politicisme » démocratique en soutenant, à l'école de la Commune de Paris, que l'État bourgeois, fût-il aussi démocratique que l'on veut, doit être détruit.

Eh bien, je vous propose de juger à votre tour ce qui importe ou pas, de juger les points dont vous assumerez les conséquences, sur l'horizon de l'hypothèse communiste. Encore une fois, c'est la bonne hypothèse, on peut en convoquer les principes, quelles que soient les déclinaisons ou les variations qu'ils subissent dans des contextes différents.

Dans un entretien, Sartre dit en substance :
« Si l'hypothèse communiste n'est pas bonne,
si elle n'est pas praticable, alors cela veut dire
que l'humanité n'est pas une chose en soi très
différente des fourmis ou des termites. » Que
veut-il dire par là ? Que si la concurrence, le
« libre marché », la sommation des petites
jouissances et les murs qui vous protègent du
désir des faibles sont l'alpha et l'oméga de
toute existence, collective ou privée, la bête
humaine ne vaut pas un clou.

C'est à ce « pas un clou » que Bush, sous
l'abri du conservatisme agressif et de l'esprit de
croisade, que Blair-le-pieux, sous l'abri de sa
rhétorique militariste, que Sarkozy, sous l'abri
de la discipline « travail, famille patrie », veulent
réduire l'existence de l'immense majorité des
humains vivants. Et la « gauche » est encore pire,
de ne juxtaposer à ces violences vides que sa
propre longanimité creuse, son vague esprit de
charité, en sorte qu'au concurrentiel morbide, à
la victoire en carton-pâte des fils et filles à papa,
au ridicule surhomme de la finance déchaînée,
au héros shooté des Bourses planétaires, elle
n'oppose, la gauche, que les mêmes acteurs avec
un peu de gentillesse sociale, un peu d'huile de
noix dans les rouages, des miettes de pain béni
pour les déshérités, n'empruntant en somme à
Nietzsche que la figure exsangue du « dernier
homme ».

En finir une fois pour toutes avec Mai 68, c'est consentir à ce qu'il n'y ait d'autre choix pour nous qu'entre le nihilisme héréditaire de la finance et la piété sociale. Il faut alors non seulement reconnaître que le communisme s'est effondré en Union Soviétique, non seulement reconnaître que le PCF est misérablement défait, mais il faut aussi et surtout abandonner l'hypothèse que Mai 68 était une invention militante précisément consciente de l'échec du « communisme » d'État. Et donc que Mai 68, et plus encore les cinq années qui suivirent, inauguraient une nouvelle séquence de l'hypothèse communiste véritable, celle qui se tient toujours à distance de l'État. Et certes, personne ne savait où tout cela pouvait mener, mais on savait en tout cas que ce dont il était question était la renaissance de l'hypothèse.

Si ce dont Sarkozy est le nom impose qu'il faille abandonner toute idée d'une semblable renaissance, si la société humaine est une collection d'individus qui poursuivent leurs intérêts, si telle est éternellement la réalité, il est certain que le philosophe peut et doit abandonner la bête humaine à ce triste destin.

Mais nous ne laisserons pas le triomphal Sarkozy nous dicter le sens de l'existence, ni les tâches de la philosophie. Car ce à quoi nous assistons n'impose nullement le renoncement à l'hypothèse communiste, mais seulement la considération du moment où nous en sommes de l'histoire de cette hypothèse.

IX

L'histoire de
l'hypothèse communiste,
et son moment actuel

Donc, une fresque historique s'impose, où situer notre effort. Il y a eu deux grandes séquences de l'hypothèse communiste : celle de sa mise en place, de son installation ; et celle de la première tentative de sa réalisation.

La première séquence va de la Révolution française à la Commune de Paris, disons de 1792 à 1871. Elle dure donc à peu près quatre-vingts ans. Cette séquence comporte toutes sortes de phénomènes politiques entièrement nouveaux dans toutes sortes de pays du monde. Cependant, on peut dire que, en ce qui concerne les péripéties majeures, elle est essentiellement française. Marx en personne assignait certes le fondement philosophique de la séquence à l'Allemagne (la dialectique hégélienne), et sa tournure scientifique à l'Angleterre (la naissance de l'économie politique), mais son contenu politique réel, dans l'ordre de la pratique, à la France (le mouvement ouvrier français[13].)

Cette séquence lie, sous le signe du communisme, le mouvement populaire de masse et une thématique de la prise du pouvoir. Il s'agit d'organiser le mouvement populaire, sous des formes multiples – manifestations, grèves, soulèvements, actions armées, etc. – autour de la thématique d'un renversement. Ce renversement est évidemment un renversement insurrectionnel qu'on appelle « révolution ». Cette révolution supprime la forme de la société (la propriété privée, l'héritage, la séparation de l'humanité en nations, la division du travail, etc.), et instaure l'égalité communiste, ou ce que les penseurs ouvriers, si bien analysés par Jacques Rancière[14], nomment la « communauté des Égaux ».

L'ordre ancien va être abattu par une combinaison de sa propre corruption imma-

---

13. Pour la fonction du « mouvement ouvrier français » dans la genèse du marxisme, parallèle à celles de la « philosophie allemande » et de l'« économie politique anglaise », on lira le très beau texte de Lénine, *Les trois sources et les trois parties constitutives du Marxisme*

14. Sur la genèse, au XIXᵉ siècle, de la figure ouvrière comme référence politique et idéologique, ses conséquences dans le champ de la pensée, la doctrine qui s'y lie de la « communauté des égaux », il faut évidemment lire les grandes œuvres de Jacques Rancière, notamment ces deux très beaux livres que sont *La nuit des prolétaires* (1981) et *Le maître ignorant* (1987).

nente et de la pression, éventuellement armée, du mouvement populaire. C'est aussi à ce moment qu'apparaît le paramètre particulier du mouvement ouvrier. Les vieilles catégories révolutionnaires, le petit peuple des villes, les artisans, les étudiants et les intellectuels, la masse paysanne pauvre, sont transformées, relevées, par la fonction dirigeante de la classe ouvrière.

Cette séquence est close par la nouveauté saisissante et l'échec radical de la Commune de Paris. La Commune a été la forme suprême de cette combinaison de mouvement populaire, de direction ouvrière et d'insurrection armée. Elle a montré la vitalité extraordinaire de cette formule : elle a pu exercer un pouvoir de type nouveau pendant deux mois, dans une des plus grandes capitales de l'Europe, avec l'appui interne de nombreux révolutionnaires étrangers, notamment des Polonais, ce qui montrait la force du concept marxiste d'Internationale. Mais elle a également montré ses limites. Car elle n'a pu ni donner à la révolution une envergure nationale ni organiser efficacement la résistance quand la contre-révolution, avec l'appui tacite des puissances étrangères, a pu compter sur un appareil militaire efficient.

La deuxième séquence va de 1917 (la Révolution russe) à 1976 (la fin de la Révolution

culturelle en Chine, mais aussi la fin du
mouvement militant surgi partout dans le
monde aux alentours des années 1966-
1975, et dont l'épicentre, du point de vue
de la nouveauté politique, a été Mai 1968 en
France et ses conséquences dans les années
qui suivirent). Cette deuxième séquence dure
une cinquantaine d'années. Mais remarquons
aussi qu'elle est séparée de la première par
une coupure d'à peu près la même longueur
(plus de quarante ans).

Cette deuxième séquence, très complexe, et
qui contient aussi, dans son bord terminal, ce
dont nous sommes les héritiers, est dominée
par la question du temps. Comment être
victorieux ? Comment, contrairement à la
Commune de Paris, durer face à la sanglante
réaction des possédants et de leurs merce-
naires ? Comment organiser le nouveau
pouvoir, le nouvel État, de façon à ce qu'il soit
à l'abri de sa destruction par ses ennemis ? La
grande question de Lénine est de répondre à
ces questions. Et ce n'est certes pas pour rien
qu'il a dansé sur la neige quand le pouvoir
insurrectionnel a duré, en Russie, un jour de
plus que la Commune de Paris.

Durant cette seconde séquence, le problème
n'est plus l'existence d'un mouvement populaire et ouvrier agissant sous l'hypothèse
communiste, ni non plus l'idée générique de

révolution, sous sa forme insurrectionnelle. Le problème est celui de la victoire et de la durée. On peut dire qu'il ne s'agit plus de formuler et d'expérimenter l'hypothèse communiste, mais de la réaliser. De ce point de vue, la maxime générale est celle formulée par Lénine, qui est en substance : « Nous entrons dans la période des révolutions prolétariennes victorieuses ». C'est la raison pour laquelle les deux premiers tiers du xxe siècle sont dominés par ce que j'ai appelé « la passion du réel [15] » : ce que le xixe siècle a rêvé et expérimenté, le xxe doit l'accomplir intégralement.

Cette obsession de la victoire et du réel s'est concentrée dans les problèmes de l'organisation et de la discipline, elle est tout entière contenue, à partir de 1902 et du *Que faire ?* de Lénine dans la théorie et la pratique du parti de classe, centralisé et homogène. On peut dire que les partis communistes ont incarné, dans leur « discipline de fer », le réel de l'hypothèse communiste.

Cette construction caractéristique de la deuxième séquence de l'hypothèse, le parti, a en effet résolu la question léguée par la première séquence, notamment par la Commune de Paris, qui en avait été l'apogée et la fin : la

---

15. J'ai proposé une analyse détaillée de la « passion du réel » comme forme subjective typique du xxe siècle dans mon livre *Le siècle* (Le Seuil, 2005).

question de la victoire. En Russie, en Chine, en Tchécoslovaquie, en Albanie, en Corée, au Vietnam, et même à Cuba un peu autrement, sous la direction de partis communistes, la complète révolution de l'ordre politique et social l'a emporté, par l'insurrection ou la guerre populaire prolongée, et a duré, sous la forme de ce qui a été nommé « l'État socialiste ». Après la première séquence, qui était sous le signe de la formulation de l'hypothèse communiste et de sa réalité en tant que mouvement, il y a bien eu une deuxième séquence, sous le signe de son organisation disciplinée et militarisée, de sa victoire locale et de sa durée.

Comme il est normal, la seconde séquence a créé à son tour un problème qu'elle n'avait pas les moyens de résoudre en utilisant les méthodes qui lui avaient permis de résoudre le problème légué par la première séquence. En effet, le parti, approprié à la victoire insurrectionnelle ou militaire remportée contre des pouvoirs réactionnaires affaiblis, s'est révélé inapte à la construction d'un État de dictature du prolétariat au sens de Marx, soit un État organisant la transition vers le non-État, un pouvoir du non-pouvoir, une forme dialectique du dépérissement de l'État. Sous la forme du Parti-État, on a au contraire expérimenté une forme inédite d'État autoritaire, voire terroriste, en tout cas très séparé de la vie pratique des gens. Nombre de réalisations de ces États « socialistes » ont été remarquables, dans les domaines notamment de l'éducation, de la santé publique, de l'idéologie quotidienne (valorisation formelle du travailleur ordinaire), de l'ordre public. Sur le plan international, ces États ont suffisamment fait peur aux États impérialistes pour les contraindre, au dehors comme au dedans, à des prudences que nous regrettons fort aujourd'hui, où l'arrogance du capitalisme parvenu à son stade suprême ne connaît plus de limites. Cependant, le principe étatique était en lui-même vicié et finalement inefficace. Le déploiement d'une violence policière extrême et sanglante n'a aucunement suffi à le sauver de son inertie bureaucratique interne, et dans la compétition féroce que lui ont imposée ses adversaires, il n'a guère mis plus de cinquante ans à montrer qu'il ne l'emporterait jamais.

C'est à ce problème du Parti comme inadéquat à assurer la durée réelle et la transformation créatrice de l'hypothèse communiste que sont consacrées les dernières convulsions importantes de la deuxième séquence : la Révolution culturelle en Chine et la nébuleuse nommée « Mai 68 » en France. En Chine, la maxime de Mao sur ce point est : « *Sans mouvement communiste, pas de communisme* ». Il faut à tout prix tremper le parti dans le mouvement de masse pour le régénérer, le dé-bureaucratiser, et le lancer dans la transformation du monde réel. La Révolution culturelle[16] tente cette épreuve, et devient vite chaotique et violente, tant la définition de l'ennemi est soit incertaine, soit dirigée contre l'unique pilier de la société : le parti communiste lui-même. Mao n'y est pas pour rien, dès lors qu'il déclare : « *On ne sait pas où est la bourgeoisie ? Mais elle est dans le parti communiste !* » Finalement, faute de soutien donné aux expériences les plus radicales de décentralisation de l'État (la « Commune de Shanghai », au début de 1967), il faudra rétablir l'ordre ancien dans les pires conditions. En France, après Mai 68[17], le motif dominant est que l'action collective organisée doit créer de nouveaux lieux politiques, et non

---

16. Pour avoir une idée de ce que je pense de la Révolution Culturelle chinoise et de l'usage que j'en fais, on lira la brochure *La Révolution Culturelle : la dernière révolution*?, publiée dans le cadre des Conférences du Rouge Gorge que Natacha Michel et moi-même avons créées et dirigées entre 2001 et 2005. Pour se la procurer, utiliser les références de la note 5.

17. Sur Mai 68, saisi dans son essence politique véritable, et non comme une « crise » culturelle de la jeunesse, on lira la conférence de Natacha Michel, *O Jeunesse ! O Vieillesse !*, publiée dans le cadre des conférences du Rouge Gorge. *Cf.* notes 16 et 5. Natacha Michel, grande romancière, a inventé la prose où déplier cette expérience. Qu'on lise *La Chine européenne* (Gallimard, 1975) et *Circulaire à toute ma vie humaine* (Le Seuil, 2005).

reproduire la gestion centralisée de l'État. Le contenu principal sera de nouvelles formes d'organisation et d'action enveloppant dans la même vision politique des intellectuels et des ouvriers, et qui se proposent de faire durer l'hypothèse communiste en dehors même de la logique de la prise du pouvoir. Cependant, même si cette expérience se poursuit sous de nouvelles formes, à partir de la fin des années soixante-dix on peut considérer qu'à échelle d'ensemble la forme moderne de l'État réactionnaire, le capitalo-parlementarisme, a repris le dessus dans les esprits, sous couvert de « démocratie ». Disons que les processus politiques de type nouveau [18] sont au stade où

---

18. Parmi les séquences politiques, longues ou brèves, identifiées comme travaillant, dès le milieu des années soixante-dix, à réinstaller l'hypothèse communiste (même si le mot était souvent honni), c'est-à-dire à transformer, à contre-courant de la domination du capitalo-parlementarisme, le rapport entre la politique et l'État, on peut citer : les deux premières années de la révolution portugaise ; la toute première séquence, notamment dans les usines, du mouvement Solidarnosc en Pologne ; la première phase de l'insurrection contre le Shah d'Iran ; la création en France de l'Organisation politique ; le mouvement Zapatiste au Mexique. Aujourd'hui, il faut enquêter sur la vraie nature du lien au peuple d'organisations que limitent, du point de vue des leçons universelles qu'on peut en tirer, leur allégeance religieuse : le Hezbollah au Liban, et le Hamas en Palestine. Il faut aussi prêter attention aux innombrables soulèvements ouvriers et paysans en Chine, aux actions des « maoïstes » en Inde et au Népal… La liste n'est aucunement close.

en était Lénine au tout début du XXe siècle, quand la question : « Que faire ? » admet des réponses expérimentales précises, dans un contexte général dominé par l'adversaire, et qui va, lentement mais sûrement, vers cette accélération des phénomènes subjectifs que propose toujours la guerre.

Rappelons en effet qu'entre la première et la deuxième séquence, entre le dernier Marx et le premier Lénine, il y a quarante ans d'impérialisme triomphant. De la répression de la Commune de Paris à la guerre de 14, on a l'apogée de la bourgeoisie, qui occupe la planète, qui dévaste et pille des continents entiers. Je parle de séquences de l'hypothèse communiste, mais ces séquences sont séparées par des intervalles dans lesquels ce qui l'emporte, en termes d'équilibre et de stabilisation, n'est aucunement l'hypothèse communiste. On y déclare au contraire que cette hypothèse est intenable, voire absurde et criminelle, et qu'il faut y renoncer. Ainsi nous retrouvons Sarkozy : en finir avec Mai 68 une fois pour toutes.

Ce qui nous autorise à revenir à l'interrogation : où en sommes-nous ? Admettons qu'à échelle mondiale, la deuxième séquence se soit achevée vers la fin des années soixante-dix du précédent siècle. Admettons que depuis, tirant les leçons des expériences critiques qui ont marqué le bord terminal de cette séquence, Mai 68 et la Révolution culturelle, dans diverses situations, divers collectifs cherchent la voie d'une politique d'émancipation adéquate au temps présent. Alors, nous sommes dans le contexte d'une nouvelle période intervallaire, une période de triomphe apparent de l'adversaire. Nous pouvons décrire, par exemple, sans découragement ni concession, ce qui se passe en France, c'est-à-dire la réapparition de formes, incorporées à l'État, du pétainisme transcendantal. Ce n'est pas un phénomène aberrant ou discordant, qui devrait nous déprimer. C'est une cristallisation locale du fait que nous sommes dans une période intervallaire, comme il y en a déjà existé une, fort longue, à la fin du XIXe siècle et au début du XXe. Or, nous savons que, dans ce genre de circonstances, ce qui est à l'ordre du jour est l'ouverture d'une nouvelle séquence de l'hypothèse communiste. Le seul problème étant celui de l'étendue de la catastrophe qu'une fois encore la guerre, cette inévitable convulsion de l'impérialisme, imposera à l'humanité, pour prix de l'avancée, de l'avancée d'un pas, de cela seul qui organisera son salut : l'égalitarisme communiste, cette fois à l'échelle du monde entier.

Nous qui avons connu Mai 68 et la Révolution Culturelle, nous devons absolument transmettre aux militants dispersés de l'hypothèse communiste une certitude rationnelle, déjà immanente à ces intenses moments politiques : ce qui va venir ne sera pas, ne pourra pas être, la continuation de la seconde séquence. Le marxisme, le mouvement ouvrier, la démocratie de masse, le léninisme, le Parti du prolétariat, l'État socialiste, toutes ces inventions remarquables du XXᵉ siècle, ne nous sont plus réellement utiles. Dans l'ordre de la théorie, elles doivent certes être connues et méditées. Mais dans l'ordre de la politique, elles sont devenues impraticables. C'est un premier point de conscience essentiel : la deuxième séquence est close, et il est inutile de vouloir la continuer ou la restaurer.

La vérité, dont encore une fois la venue fut esquissée dès les années soixante du dernier siècle, est que notre problème n'est ni celui du mouvement populaire comme porteur d'une nouvelle hypothèse, ni celui du parti prolétarien comme dirigeant victorieux de la réalisation de cette hypothèse. Le problème stratégique lié à la troisième séquence, à l'ouverture de laquelle nous travaillons, est autre chose.

Comme nous sommes dans une période intervallaire dominée par l'ennemi, et que les expériences nouvelles sont très circonscrites, je ne suis pas en état de vous dire ce qu'est, à coup sûr, l'essence de la troisième période qui va s'ouvrir. Cependant, la direction générale, disons la philosophie abstraite de la chose, me semble dicible : ce dont il s'agit concerne *un nouveau rapport entre le mouvement politique réel et l'idéologie.* C'est bien ce que déjà sous-entendaient l'expression « révolution culturelle », et l'énoncé de Mao : « *Pour avoir de l'ordre dans l'organisation, il faut d'abord avoir de l'ordre dans l'idéologie.* » C'est aussi ce que sous-entendait l'idée, commune après Mai 68, de « révolutionnarisation des esprits ».

L'hypothèse communiste comme telle est générique, elle est le « fond » de toute orientation émancipatrice, elle nomme la seule chose qui vaille qu'on s'intéresse à la politique et à l'histoire. Mais la *présentation* de l'hypothèse est ce qui détermine une séquence : une nouvelle manière pour l'hypothèse d'être présente dans l'intériorité des nouvelles formes d'organisation et d'action.

Bien entendu, d'une manière ou d'une autre, nous cumulerons les enseignements théoriques et historiques issus de la première séquence, et la fonction centrale de la discipline victorieuse, issue de la seconde. Cependant, notre problème n'est ni l'existence en mouvement de l'hypothèse, ni sa victoire disciplinée au niveau de l'État. Notre problème est *le mode propre sur lequel la pensée, ordonnée par l'hypothèse, se présente dans les figures de l'action.* En somme : un nouveau rapport du subjectif et de l'objectif,

qui ne soit ni mouvement multiforme animé par
l'intelligence de la multitude (comme le croient
Negri et les altermondialistes), ni Parti rénové et
démocratisé (comme le croient les trotskystes et
les maoïstes ossifiés). Le mouvement (ouvrier)
au XIXe et le Parti (communiste) au XXe siècle
ont été les formes de présentation matérielle de
l'hypothèse communiste. Il est impossible de
revenir à l'une ou l'autre formule. Quel pourra
bien être alors le ressort de cette présentation
au XXIe siècle ?

Notons qu'au XIXe siècle, la grande question a d'abord été, tout simplement, celle de
l'existence de l'hypothèse communiste. Quand
Marx dit que le spectre du communisme hante
l'Europe, il veut dire : l'hypothèse est là, nous
l'avons installée. La deuxième séquence, celle
du parti révolutionnaire à la discipline de fer,
de la militarisation de la guerre de classe, de
l'État socialiste, a sans doute été la séquence
d'une représentation victorieuse de l'hypothèse.
Cependant, cette représentation a conservé
les caractéristiques de la première séquence,
singulièrement l'idée du renversement (« le
monde va changer de base »), l'idée de la révolution comme échéance globale. Disons que la
victoire était encore pensée comme victoire de
la forme première de l'hypothèse.

Ce qui est à l'ordre du jour pour nous,
depuis l'expérience négative des États socia-

listes, et depuis les leçons ambiguës de la Révolution culturelle et de Mai 68 – et c'est pour cela que notre recherche est si compliquée, si errante, si expérimentale –, c'est de faire exister l'hypothèse communiste sur un autre mode que celui de la première séquence. L'hypothèse communiste reste la bonne hypothèse, je l'ai dit, je n'en vois aucune autre. Si cette hypothèse doit être abandonnée, ce n'est pas la peine de faire quoi que ce soit, dans l'ordre de l'action collective. Sans l'horizon du communisme, sans cette Idée, rien dans le devenir historique et politique n'est de nature à intéresser le philosophe. Que chacun s'occupe de ses affaires, et n'en parlons plus. Donnons raison à l'homme aux rats, comme le font du reste quelques anciens communistes, soit avides de prébendes, soit désormais dépourvus de tout courage. Mais tenir sur l'Idée, sur l'existence de l'hypothèse, cela ne veut pas dire que sa première forme de présentation, centrée sur la propriété et sur l'État, doit être maintenue telle quelle. En fait, ce qui nous est imparti comme tâche, disons même comme devoir philosophique, c'est d'aider à ce que se dégage *un nouveau mode d'existence de l'hypothèse.* Nouveau par le type d'expérimentation politique auquel cette hypothèse peut donner lieu. Nous sommes instruits par la deuxième séquence et ses tentatives terminales : nous devons revenir vers les conditions d'existence de l'hypothèse communiste, et non pas seulement en perfectionner les moyens. Nous ne pouvons nous satisfaire de la relation dialectique entre l'État et le mouvement de masse, de la préparation de l'insurrection, de la construction d'une organisation disciplinée puissante. Nous devons, en réalité, *réinstaller l'hypothèse dans le champ idéologique et militant.*

Soutenir aujourd'hui l'hypothèse communiste dans l'expérimentation locale d'une politique, expérimentation qui nous permet de maintenir, contre la domination réactionnaire installée, ce que j'appelle un point, c'est-à-dire une durée propre, une consistance particulière : voilà la condition minimale pour que le maintien de l'hypothèse apparaisse aussi comme la transformation de son évidence.

À cet égard, nous sommes plus proches d'un ensemble de problèmes déjà examinés au XIXe siècle que nous ne le sommes de la grande histoire des révolutions du XXe siècle. Nous avons affaire, comme à partir de 1840, à des capitalistes absolument cyniques, de plus en plus animés par l'idée qu'il n'y a que la richesse qui compte, que les pauvres ne sont que des paresseux, que les Africains sont des arriérés, et que l'avenir, sans limite discernable, appartient aux bourgeoisies « civilisées » du monde occidental. Toutes sortes de phénomènes du

xixᵉ réapparaissent : des zones de misère extra-
ordinairement étendues, à l'intérieur des pays
riches comme dans les zones délaissées ou
pillées, des inégalités sans cesse grandissantes,
une coupure radicale entre le peuple ouvrier,
ou sans travail, et les classes intermédiaires,
la dissolution complète du pouvoir politique
dans le service des biens, la désorganisation
des révolutionnaires, le désespoir nihiliste de
fractions étendues de la jeunesse, la servilité
d'une large majorité des intellectuels, l'activité
expérimentale serrée, mais très encerclée, de
quelques groupes à la recherche des moyens
contemporains de l'hypothèse communiste…
Et c'est sans doute pourquoi, comme au
xixᵉ siècle aussi, ce n'est pas de la victoire de
l'hypothèse qu'il est question aujourd'hui,
tout le monde le sait bien, mais des conditions de son existence. Et ça, c'était la grande
question des révolutionnaires du xixᵉ siècle :
d'abord, faire exister l'hypothèse. Eh bien,
telle est, dans la période intervallaire qui nous
oppresse, notre tâche. Et elle est exaltante :
par la combinaison des constructions de la
pensée, qui sont toujours globales ou universelles, et des expérimentations politiques, qui
sont locales ou singulières, mais transmissibles
universellement, assurons l'existence nouvelle,
dans les consciences et dans les situations, de
l'hypothèse communiste.

TABLE